담이에게

담
이
에
게

강한별

차례

2. 가을

3. 겨울

4. 봄

많은 마음을 품고 살아가는 것 같아요.
우리는 그런 마음을 주고받을 때 나오는 것,
혹은 그런 과정 자체를 사랑이라고 하는 것 같습니다.

사랑이 어려운 것은,
주고받는 마음의 무게가 다르기 때문인 것 같아요.
나에겐 무겁고 소중한 마음도
누군가에게는 가벼울 수 있고,
반대로 나에겐 가볍고 조그마한 마음이
누군가에겐 커다랗게 다가갈 수도 있으니까요.

당장 사랑 한 단어,
한 줄로 정의하지 못해 문장에 '같아요'가 많은 것도
그런 까닭이겠죠.

그래서 한없이 사랑할 수 있는 존재가
있었으면 좋겠다 싶었어요.
내 모든 사랑을 받아줄 수 있는 존재.
너무나도 넓고 깊어 모든 사랑을 담아 줄 수 있는 존재.
또 저에게 사랑은 글이라, 모든 글을 담아 줄 수 있는 존재.

그런 고민을 거쳐 자리 잡은 존재가 바로 '담이'고,
책에 담긴 글들은 저의 '담이에게' 보낸 마음을
편지 형식으로 기록한 것입니다.

우리는 사랑 앞에서 한없이 약했다가 강해지고,
때로는 너무 작아졌다가 커지는 사람들이라
누군가의 '담이'인 삶을 살아가는 것 같아요.

이 책은 그런 '담이'들에게 보내는 편지이기도 합니다.
우리는 누군가의 담이거나,
담이를 품고 살아가거나,
담이를 찾으며 살아가니까요.

그러니, 이 세상 모든 '누군가의 담이에게'
저만의 방식으로 사랑을 전해요.
오늘도 적어 냈고,
살아 냈고,
내일도 편지할 거란 문장으로요.

여름,

계절이 바뀌고 낮밤으로 쌀쌀한 바람이 부는데
결국엔 네 걱정뿐이다

담이, 사랑하는 담이.
너를 생각하며 적는 글의 서문을 열다가,
서문이라는 단어 사이에 달이 들어와
획을 몇 줄 긋더니 어느덧 서간문이 되어 간다.
너도 달을 보고 있는 새벽일까?

달은 네가 좋아하는 단어이면서도
내가 좋아하는 단어여서, 우리가 좋아하는 단어.
이런 과정 속 너라는 단어가 우리라는 단어가 되며
어느덧 세상이 너에게서 우리로 변하는 과정을 흉내 내곤 해.

달은 가슴에 품은 단어인 만큼
오늘의 제일 깊은 시선도 달에 두었는데,
너도 달을 바라봐 오늘 너의 세상이 우리라는 단어로
나의 세상이 되는 시간을 보낼 수 있을까.

누군가 나에게 새벽이 가고 아침이 오기 전
그 시간이 제일 좋다고 말했지만,
아침 역시 네가 없음을 알기에 아무도 몰래 네 생각을… 담아.
네 생각을 할 수 있는 이 시간이 나는 제일 좋다.
글을 적다 네 생각을 하면 너랑 단둘이 있는 것만 같거든.

담이 너도 내 글을 보다 보면
내 세상의 달과 그 달을 담았을 나의 눈동자.
그리고 그 눈에 담았을 네가 보일까?

계절이 바뀌고 낮밤으로 쌀쌀한 바람이 부는데
결국엔 네 걱정뿐이다.
곧 오는 계절엔 편지는 길어지고 낮은 짧아진다던데,
겨울이 오면 하루의 반절이 네 생각 이루는 편지일까…
벌써부터 걱정이 들어온다.

내일 이어 편지해야지.

안녕, 사랑하는 담아.

추신. 간(間)이라는 한자가 문 사이 보이는 달 모양에
유래했다는 이야기를 듣고, 네가 사무치게 그리운 방 안에서.

내가 굶어도 너 먹는 문장 쌓여감에
인생이 가득 찬다

사람은 추억을 먹고 살아간다는 문장을 보았는데
너와의 추억으로 살아가는 게 나라면 나는 얼마나 소식가인지.
아니면 내 위는 얼마나 작아서
그 적은 추억으로도 이렇게 살아가는가 싶다.

꼬르륵거린다는 문장을 적으려다
사실 추억이 더 고프고 네가 있는 기억을 그리워하고,
또 이렇게 많은 문장이 적힐 만큼
간절하게 바란다는 사실을 감추고 싶어 적을 수가 없다.

네가 먹고 살아가는 그 추억도 나일까?
한평생 먹어야 한다면 먹을 수 있는 추억이 나와의 추억일까?

우리는 그런 추억만을 만들며 살아가자고,
앞으로 매 순간이 너무 달콤해

계속해서 기억하고 싶은 순간으로 살아가자고,
사랑하자고, 부탁하면
혹여나 나 혼자 네 기억이 고픈 사람이면 어쩌지.
나뿐이 아니겠지 싶은 건 혼자 적어 둔 위안거리는 아닐 거야.
문장을 더해 고민을 덜어 보지만.

그래도 이런 문장이라도 적어야
네가 먹고 살아갈 추억이
조금이나마 더 쌓이겠지 싶은 생각에
이런 것마저 편지로 적는다.

내 태생이 이렇다.
내가 굶어도 너 먹는 문장 쌓여감에 인생이 가득 찬다.

그대를 보고 오늘 내가 접은 것은,
그대 아니면 보았을 별 몇 개와
그대 아니면 보냈을 흘러가는 시간 몇 조각과
그대 아니면 좀 더 어두웠을 하늘 몇 쪽입니다

나의 밤하늘은
오늘도 너무나 아름답고
그대 없이도 스스로 빛나고 있으며
나의 세상은
그대 없이도 그대 닮은 것들로 빛나 오는 저녁이건만,
나에겐 이 모두가 그대 없이는 빛나지 않을 세상입니다

하루의 시작부터 마감까지
온통 너이다

사랑하는 담아, 신기하지 않니?
하루의 시작부터 마감까지 나 하는 생각이라곤 온통 너이다.
그래서 일어나자마자 펜을 잡아 봐.

종일 비 내리던 팔월 여름날처럼 온통 네가 내린다, 적으면서도
사랑은 창밖에 빗물 같던 노래를 들어.
나는 세월 지나도 너는 안 잊을 거라 다짐을 해 본다.

나는 이렇게 네가 문득 떠오르고…
그 순간들이 내 하루의 연속이라니, 신기하지 않니?
너는 노래 속에도,
시 속에도,
누군가 지나가며 적었을 글에도 살아 숨 쉬는데…
네가 떠오르지 않는 세상,
네가 없는 세상은 상상만 해도 이렇게 가라앉는다.

담아,

하루 시작부터 네 생각인 걸 보니

이토록 널 많이 사랑하나 보다.

오늘도 좋은 하루 보내라는 말로는 부족할 만큼,

사랑 가득한 하루 보내길 바랄게.

안녕이라는 말이
가장 많은 걸 담겠지

네가 그립다.
그립다는 세 글자로 내 모든 그리움을 담기엔
세상은 너무 크고 종이는 너무 작아.

눈, 적어도 그리움에 비해 한 글자는 너무 작고
비, 그냥 비 한 글자로는 좁아서 다시 네가 좋아하던 비.
일곱 자 적어야 세상은 너에게 맞는 크기가 되어 가는데,
세상 모든 단어가 나에게 있어 너를 적기엔 작은 까닭에
나는 도저히 편지를 한두 단어로 적을 수가 없다.

몇 단어 뭉쳐서는 너를 적을 수 없고
그리움,
이 한 단어로는
보고픈 마음을 표할 방법이 없어서 매번 길어지는 편지들.
그럼에도 밤은 짧아 말을 줄이는 일에 가장 많은 고심을 한다.

안녕,

안녕이라는 말이 가장 많은 걸 담겠지.

안녕, 안녕….

내일도 안녕하길 바라는 마음 담아서.

너는 내가 속아도 좋을
유일한 단어

담아. 글을 쓰다 보면 내 문장에 내가 속게 될 수도 있으니 깊이 빠지면 안 된다는 한 사람의 조언을 들었어. 나는 너를 사랑하는가? 이 뒤에 나올 문장이 수십이지만 벌써 그렇다는 대답 먼저 튀어나온다. 그 대답을 보류하고 다시 적어 보자면, 나는 너를 사랑하는가, 아니면 너를 사랑한다고 적는 나를 사랑하는가? 그것도 아니면 사랑한다고, 너를 사랑한다고 적어둔 내 글이 시야를 가리고 마음을 가려 너를 사랑하게 만드는 것인가? 수없이 많은 질문이 뒤따라와도 단 하나뿐인 대답이 준비되어 있는데, 변명이라도 하듯 새로운 문장들이 나온다는 사실이 조금 부끄럽기도 하고 당장이라도 '너를 사랑한다' 여섯 글자 적고 싶기도 하다.

나는 너를 사랑하는 거야. 사랑해. 너를 사랑해, 담아.

너는 내가 속아도 좋을 유일한 단어라는 생각이 들어. 평생

진실을 모른 채로 너라는 단어 속에 빠져 살다 죽어도 괜찮다는 생각이 들었다면 그마저도 사랑이겠지, 담아. 어쨌거나 같은 단어의 반복일 거란 생각에 편지의 도돌이표를 여기에 찍는다. 오늘도 좋은 하루, 사랑.

추신. 너를 사랑한다.

너는 어제의 밤,
나는 오늘의 낮

잠이 들었나 싶은데도 꿈에 네가 선명해
그곳이 꿈속 세상인지 현실인지 분간이 안 가
오늘도 잠은 한 줌만큼만 들었다.

그곳에선 분명 네가 되돌아가지 않아도 되는 세상이었는데.
나도 내 세상으로 돌아가지 않아도 되는 세상이었는데.
그런 생각에 문장을 적다 보면
어느새 해가 뜨고 밖은 밝아져
오늘 하루도 피곤함 없이는 힘들겠다고 생각한다.

시간은 사람마다 다르게 흐른다는데,
너의 꿈에도 내가 나타나 우리 함께 하여도 된다는 사실로
평생 깨기 싫은 꿈이라며 아직도 밤일까?

너는 어제의 밤,

나는 오늘의 낮이라서
우리의 거리는 헤아릴 수 없이 멀리 있고
잠은 더 멀리 나를 떠나 너에게로 가는데,
창밖에 비치는 햇살을 보니
맞이한 오늘은 분명 너에게 좋은 날일 것이다.

해가 떴는데도 그대를 잊지 못하는 까닭은
달은 저 반대편에도 떠 있기 때문이에요
그대를 생각하면 언제나 밤이기 때문이에요
그대밖에 보이지 않는 밤이기 때문이에요
이 순간에도 그대가 떠오르기 때문이에요
사실 그 밤이 오늘의 낮보다 밝기 때문인데

이러는 와중에 벌써
세 번이 되어 버렸네

담아, 오늘 하루 시작이 아무리 늦어도
지금쯤은 너의 하루도 시작해 굴러가고 있겠지?
나는 책으로 둘러싸인 의자에 기대어
이소라의 '청혼'을 듣다가 다시 한번 네 생각을 했다.

다시 한번이라는 표현이 맞을까 고민하는 사이에
사실 한 번이 아니라 두 번이었다고 정정할까 해.
이러는 와중에 벌써 세 번이 되어 버렸네.

네 생각이라는 이 단어가 이제는 내 이름만큼
익숙한 단어가 되어 가는 삶을 살고 있지만,
그 가수가 하는 말은 나에겐 새로우면서도
너에게 하고 싶었던 말을 그대로 옮겨 주거든.

나는 너에게 언젠가 저런 문장을 옮길 수 있을까?

제목 없는 나의 글에 제목이 붙는 순간에,
제목도 청혼이라고 붙일 날이 우리에게도 올까?

담이를 사랑하는 마음을 노래 하나에 담기는 부족하지만,
오늘도 사랑할게.

노래 참 좋다.

점심에 미안합니다.
사랑은 점심을 모르고 찾아오네요

담, '저마다'라는 단어가 있답니다.

이상하게 '저마다'라는 단어가 가슴에 맺혀
어딘가에 적지 않으면
종일 나를 따라다니며 괴롭힐 것 같다는 생각에
편지를 적으러 왔어요.

꼭 나에게 저마다의 방식으로,
우리 앞으로도 쭉 사랑하자고 말하라는 것처럼,
단어가 나를 놔주질 않습니다.

저마다의 방식으로 사랑하고,
우리의 방식이
서로에게 제일 익숙한 방식이 되어 가도록
깊은 관계를 쌓아 나가요.

시킨 대로 적었는데 이제는 좀 떼어지려나 모르겠어요.

점심에 미안합니다.

사랑은 점심을 모르고 찾아오네요.

나는 언제든 너에게
잡힐 준비가 되어 있어

담아.

모든 일에는 때가 있어.

심지어 바다에도.

때가 안 맞으면 놓치는 것이 대다수고,

인연은 그렇게 놓치는 것과

그 와중에 닿는 것의 합작이라고 하는데

나는 널 위해서

지금 내 모든 순간이 잠시 정지하여 있다는

한 문장을 전하고 싶어 펜을 잡아.

나는 언제든 너에게 잡힐 준비가 되어 있어.

내 삶에 있어서 지금은 널 기다리며 ― 썰물을 보다 ―

사랑을 준비하는 시기라 ― 밀물을 보던 ―

마음속 문장 하나를 보고 쓰는 편지.

그 문장이 마음속을 떠난 시점부터 밀물이 되어 쌓이다가…
배로 돌아오던 시간에 글을 적다 보면
그 문장이 분명 너를 데리고 새벽이란 이름으로 찾아오겠지?

담아.
사랑하는 마음은 때를 가리지 않고 앞서 나가는데,
네 이름 앞에만 서면 멈춰 너 오길 기다린단다.

너에게는 하루의 기준이
아직은 시간이겠지

담아.
사실 방금까지도 편지를 적다
펜을 내려놓은 지 오 분이 지나질 않았어.
피곤한 몸을 이끌어 침대에 던지니,
이 포근함에도 네 생각이 나 다시금 펜을 들어 봐.
너는 몇 시에 있지?

나는 네 생각을 하다 보면
어느 때는 밤 같다가도 낮이고,
낮 같다가도 새벽일 때가 있어.
하루하루가 네가 있었다 없어지는 일의 연속 같아.

너에게는 하루의 기준이 아직은 시간이겠지.
나는 오늘 하루가 수십 통의 편지 같아서
아직은 마무리하기에 적어 둔 글이 너무 적다.

오늘도 문장들은
나를 재울 생각이 없다

짧은 단어이지만 네 이름을 부르면
참 많은 문장이 함께 온다.

누군가의 마음이 된다는 것.
누군가의 마음을 본다는 것.
그런 누군가의 마음에 들어간다는 것.

마음에 붙은 단어와 문장들 모두 조심스러우면서도
소중하고 사랑스러운 것들이라,
그렇다면 너도 붙어야 마땅하지 싶어
내 마음에도 네 이름을 붙여 본다.

내 마음엔 오직 너뿐이야, 담아.

이렇게 적다 보면

내 마음에도
네가 붙어 이미 소중하고 사랑스럽지만
내 가슴이 너를 더 꼭 품을까 싶다.
내 마음엔 오직 담, 너뿐이 있고.

담, 담아.
네 이름을 부르다 보면
잃어버렸던 가슴 한쪽을 찾을 것만 같아 호흡이 가빠 온다.
없는 채 살았을 땐 몰랐지만
잃어버렸던 가슴과 세상이 있다는 것을 인식한 순간,
다시 가빠 오던 심장과 심정들.
어쩌면 잃어버린 나의 세상이 너라서
네 이름을 부르면,
세상과 문장이 올지도 모른다는 생각을 남겨 봐.

오늘도 문장들은 나를 재울 생각이 없다.

그러나 너는 새벽이겠지.

오늘의 내가 묻는, 내일 너의 안부를 새벽같이 전해 본다.

사랑스러운 그대와
사랑스러운 그대의 얼굴을 봅니다
내 삶의 이유가 여기에 있구나, 하고
쓸어내리는 가슴과 삶의 의문들
평생의 삶에 그대가 함께이기를 바라며

때아닌
고백을 해야겠다

안녕, 담아.

오늘은 때아닌 고백을 해야겠다.

글을 쓸 영혼이 더는 남아 있지 않다고 느낀 지

두 달이 되어 가는데,

너를 생각하면 할수록 생이 깊어지는 것인지,

영혼을 깎아 내는 것인지,

네가 많은 자국을 나에게 남기는 것인지.

아직은 너에게 줄 이십하고도

삼 년의 영혼이 남아 있음을 체감하는 요즘이다.

내 영혼이 남긴 잔재들.

너도 내 편지에서 그런 것들을 느낄까?

깊어지는 글들과 깊어지는 하루 속 네 생각은

오늘도 너에게서 내 영혼의 글을 파내는 것만 같다.

언제나
변하지 않는 것은

오랜만에 종이에 글을 적는 오후입니다.
쓰고 싶은 문장과 써야겠다 싶은 문장은 가득이었습니다만,
이런 문체로는 어떤 편지도 적지 못할 것을,
어디에도 내놓지 못할 글임을 깨달아요.

이런 문장들도 좋아할까요? 걱정하면서도
글 적어야 다음 편지도 적을 수 있음을 깨닫고요.

담이, 사랑하는 담이.
이제는 그 어떤 단어보다도
내 이름보다도 손이 기억하는 이름입니다만,
손 가는 곳마다 글을 적으니
그곳이 곧 편지지 같습니다.
내가 가는 곳마다 글을 적으니
나의 생이 담이에게 보내는 편지 같고요.

이렇게 문체는 변해도

나를 보내는 것에는 변함이 없음을 깨닫고,

언제나 변하지 않는 것은

내가 적어 둔 것과 적어 갈 마음이라는 사실도 담고요.

삶이라는 것은
한 글자짜리 단어에 불과할지 모르지만
이 한 글자짜리 삶에는 분명 많은 글자가 들어 있다

그대,
쉽게 부르지 못할 그 이름이 나의 삶에 들어와
나의 삶은 어떻게 바뀌었는가

담, 기꺼이 내 습관이
되어도 좋은 사람

담아, 너를 덜고 무게를 재 본다면
내 사랑의 무게는 몇 그램이고 과연 내 마음은 몇 글자일까.

네 이야기 없이는 이 편지 한 줄도 내디딜 수가 없으니
이 짧은 문장으로 내 사랑을 증명하고
너에게 내 마음을 부분이나마 보여 줄 수 있을까 싶어.

짧은 글로 커다란 마음 전하지 못할까 싶지만,
네 이야기 없이 내 문장만으로
내 사랑을 보여 주고 싶어 적은 편지.

이렇게 적어도 네 이름은
계속해서 나오는 어릴 적 습관같이 적히고 있어.
담, 기꺼이 내 습관이 되어도 좋은 사람.
꾸준히 내 문장으로 사랑을 보낼게, 늘 건강하고.

가야 할 곳을 생각하니 장소가 아니라
사람이 생각나 마음이 우주처럼 아팠다

담아,
지난 꿈에서 나는 별이었다.
네가 나오지 않은 꿈이었지만
너는 내가 닿고자 하는 세상이었을 거라
확신하며 일어나 편지를 적어.

꿈에서 나는 갈 길 잃은 별이었는데,
갈 곳을 잃은 별이었는데…
가야 할 곳을 생각하니 장소가 아니라
사람이 생각나 마음이 우주처럼 아팠다.

그러나 꿈에서 깨어나도
내가 별이 아닌 것 이외엔 전부 변함없을 세상일 테지.
종일 가야 할 곳에 대하여 생각을 하다
그런 생각마저 편지에 담아 너에게 보낸다.

멀리서부터 너를 보기 위해 찾아가던 글씨들.
이런 의미를 부여하며 보내는 오늘 아침의 첫 편지.

또 보자,
옆의 편지에서

안녕, 담아.
집 앞 저수지에 와서 글을 적어 본다.
한 편의 글을 위해 하나의 세상이 움직이다니,
지금껏 보낸 편지에는
몇 개의 세상,
몇 곱절의 인연,
얼마나 많은 발걸음이 들어가 있을까?

한 걸음 내디딜 때마다 한 글자 적힌다는 문장을 주고 싶은데
네 생각은 나에게 한없이 무거워서 멈추고,
내려놓아야 펜을 들 수 있어서
나는 아직도 저수지에 있어.

마음만은 저 물에 다 던져도 보고 싶지만…
그럴 수 없는 나인 걸 너도 잘 알고 있겠지.

지금 듣고 있던 노래를 첨부할게.
또 보자, 옆의 편지에서.

추신. 김예림의 'Rain'을 듣다가.

나의 문학이
되어 줘

좋아하는 시인의 책이 몇 권이나 있냐는 질문에
기억을 되짚으며 한 권, 두 권 세다가…
담이 네 이야기로 쓴 책이
훨씬 많다는 사실에 놀라는 새벽이다.

담아, 너는 네가 얼마나 많은 글이 되고
나의 하루를 글로 이루어지게 하는지…
그런 사실을 알고 있을까?

책을 읽는 것보다 더 많은 영감을 주고
글을 잃는 것보다 더 잃기 싫은 존재.

세상을 바라보지 않아도
나에겐 이미 세상이 너라서
항시 온 세상을 바라보고 사는 것만 같은데….

사랑하는 담이.

나에게는 무한한 영감의 존재.

너를 잃고 싶지 않아.

나의 문학이 되어 줘, 하고 바치는 문장들.

평생 곁에서 읽어 달라는
간절한 소망 하나

담,
기어코 새 편지를 쓰고 자야겠다는 생각에
집 앞으로 발을 옮겨요.
글들은 이렇게 매일 태어나는데
죽은 글들은 또 어디로 갈까요.
잃어버린 편지 하나를 생각하다,
잃어버렸기에 살아 있다는 생각을 해요.

그 편지는 담이에게 보낸 편지들 사이,
비어 있는 시간이라고 이름을 달리하여
영원히 살아 있겠구나.
잊으려 해도 끊임없이 공백으로 살아가겠구나….

엊그제 보았던 별은 아직 살아 있을까요.
아니면 어딘가에서 죽어 사라지고 있을 내 글과 함께

어제의 하늘 뒤편으로 사라졌을까요.

보내는 글들은 별 하나 없는 어둠 아래 적으니,
기억해 줄 별도 없어서 사라지지 않게
잊히는 줄도 모르고 죽어가지 않게
담이가 평생 곁에서 읽어 달라는 간절한 소망 하나.

가을,

우린 아직 미숙하니까
할 수 있을 사랑을 해요

우린 아직 미숙하니까 할 수 있을 사랑을 해요.
우린 단순히 늙어 가는 게 아니라
서로의 시간을 살아가는 중이니까.
미숙과 성숙의 사이에서
서로를 찾는 것이 우리 생의 방향이니까.

우리 생이 결국엔 사랑으로 가득 차
사랑이 우리의 방식이라 하여도
누구도 말을 못 꺼내게
삶의 방식을 우리끼리 정해 두어요.

우린 아직 모든 것에 미숙하니까.
우린 사랑하는 법을 배우고 있으니까.
서로가 서로인 법을 배우고 있으니까, 하며
넘길 수 있는 사랑을 해요.

오늘도 우린 성숙해져 가는 사랑을 하고,
글은 반대로 숙성되어 가는 가을 초입이니까.

하늘이 하모니카를
불고 있다

담아, 너도 보았을까?

저 멀리 들어가는 구름과
좀 더 늦게 출근하는 해,
갈수록 차가워지던 공기들.

변해 가는 사람들의 외투와
사랑하는 사람들에게 불던 바람.

너도 이런 것을 맞이한 8월의 마지막 날이었을까?

나는 잠에서 깨어나
가을을 알리는 세상과 커다란 창 앞에 서서
신나는 변화를 어떻게 전할지 고민이 가득인데,
세상이 나에게 이 풍경을 보여 주곤

다시 너에게 가져가려나 싶어.

담아, 듣고 있니?
하늘이 하모니카를 불고 있다.
어느덧 가을이다.

나는 나의 작가로서의
무능이 좋아

담아. 나는 글을 잘 모르는 사람이라서,

제대로 배우지도 못한 사람이라서,

편지를 쓰다 보면

가장 짧은 단어에도 가장 긴 각주가 붙기도 하고

가장 복잡한 마음이 한 줄 외마디로 표현되기도 해.

사랑해, 이토록 쉬운 감정 하나 제대로 전하질 못하고

힘들다, 한 단어에는 어떤 문장도 붙이지 못하는걸.

그러나 그 각주를 담이 네가 사랑한다면

나는 나의 그런 무능이 좋아, 담아.

지나가다 볼 사람들이 나를 작가라 부르지 않는다 하여도

나는 나의 작가로서의 무능이 좋아.

사랑해 한마디 못 해서

수백 개의 문장을 보내는 내가 좋다, 담아.

이런 생각마저 글로 적힐 사랑이라면
죽는 날, 마지막 쓸 묘비명에도 네 이름을 적어 달라 하겠지.
평생을 거쳐도 네 이름 한 단어 풀어내질 못할 테니까.

사랑, 사랑하는 담아.
네 이름을 적다 드는 감정에 핑계를 덧대다 보니
편지 한 통이 적혀 있는 밤.

어제보단 좀 더 서늘한 오늘입니다
공기는 차가워지며
낮이 설 곳은 줄어들고,
목소리가 닿을 곳도 서서히 줄어드는 오늘은 가을입니다

그대는 안녕할까요

그러다 보면
가을은 나를 넘어 그대의 발끝 아래에 서 있곤 합니다

피할 수 없이 사랑하고
속절없이 좋아하는

담아,
글을 적다 든 생각 뭉치를 편지 하나로 모아
너에게 던져 본다.

나의 세상에도 있었을까?
광활한 세상에서 나 하나만 찾아 주던,
찾아가던 존재가…
앞으로 그런 존재에게 닿을 수 있을까?

그러고선 그게 인연이라고,
너에게 닿기까지 몇 개의 생을 헤치고
몇 개의 삶을 지나왔는지 아느냐고,
이렇게 해서라도 닿고 싶을 만큼 사랑했다고,
나에게 전해 줄 사람을 만날 수 있을까?

적다 보니 너에게 나는 저런 사람인 까닭으로
나에게 너도 저런 사람이었으면 해서,
너의 세상에 대고 이렇게 소리치고 있다.

너는 내 비명 아닌 비명,
글들의 고함,
소음 사이에서도 이런 속뜻을 이해해 줄까?

너 없어 광활하던 세상에서
드디어 갈 곳은 너 하나뿐이라는 이정표를 보고
이렇게 글을 적으면
길 아닌 것도 길이 되고,
연이 아닌 것도 인연이 되고,
사랑 아닌 것도 사랑이 될까.

이런 마음을 속절없이 전한다, 담이야.
피할 수 없이 사랑하고
속절없이 좋아하는 가을이다.

우린 오늘도 서로의
계절이 되기 위한 삶

한 문장 잘 쓰는 것 쉽지만
글 한 편 잘 쓰는 것은 참 어렵다.
그럼에도 우리 인생 한 줄짜리가 아니고,
각각 다른 문장 같지만 잇고 나면 하나의 시라던 너.

그런 너를 떠올리면
분발해서 글을 적어야겠다는 생각이 들어.
이렇게 적은 글과 오늘의 나,
내일의 너를 이으면 하나의 시가 될 수 있을까?

부분이긴 쉽지만,
전체이긴 어렵고
한 사람의 가을이 되는 건 가능하지만,
한 사람의 계절이 되는 건
많은 노력이 필요하다는 사실을 깨닫는다.

우린 오늘도
서로의 계절이 되기 위한 삶을 살아가는 중이구나.
찰나의 순간에서 영원의 반복이 되기 위한 삶.

나는 네 겨울도 되고 싶어.
가을로 끝날 문장을 놔주지 않고
더 나아가 하나의 글로 잇고자 펜촉을 수없이 내려 본다.

나는 너에게 단어가 아닌 문장이 되고 싶어.
또 문장에서만 남지 않고
결국엔 우리라는 글이고 싶어 수없이 새기는 편지들.

삶이라는 단어 속
나는 ㅁ이 되고 너는 ㄹ이 되어

담아, 걷다가 잠시 네 생각을 했는데
잠시라고 쓰기엔 너무 깊은 생각이었다.

세상이 나에게 얹어 준 무게.
남들도 흔히 지고 살아간다는 삶의 무게라는 단어.
나는 얼마만큼의 무게와 얼마만큼의 단어를 지고
무엇을 향해 살아가는 걸까.

무거운 고민을 하다가,
나는 너에게 간다면
짊어진 모든 것을 다 내려놓고 갈 수 있겠다 싶어서
세상의 가벼움을 만끽하는 중이다.
가끔은 삶의 중압감에서 벗어날 필요도 있겠지.

그러면서도 삶이라는 것이 너무 무겁고

혼자 짊어져야 할 단어 같다가

삶이라는 단어 속,

나는 담이보다 조금 더 꽉 막혔으니 ㅁ이 되고

너는 ㄹ이 되어

우리 같이 그 무거운 삶을 같이 짊어지고 나아가자면.

사랑과 아주 비슷한 발음이 삶이라는 단어니까

우리 사랑과 비슷하게 살아가자고 한다면.

이것도 너에게 하는 작은 고백 같은 것일까?

삶은 무거우면서도

또 네 생각만 하면

다 던져버릴 수 있을 것처럼 하염없이 가볍다.

너와 함께라면 짊어질 수 있는 무게 같아

남기는 짧은 편지 하나.

아무도 없는 곳으로
홀로 가야 할 때가 온다면
이 책 한 권만 들고 갈게요

그래야 그대와 나, 두 사람만이 남을 것 같아서

가을을 한껏 끌어다
시를 써 볼까

오늘은 가을을 한껏 끌어다 시를 써 볼까.

아직은 초록빛을 두른 은행나무 아래에서 가을을 입혀 볼까.
길가에 핀 코스모스를 보고 너에게 보내 줄 사진을 찍어 볼까.

코스모스라는 단어, 네 글자에도
가을 향을 맡던 너를 생각하면
가을이라는 단어가 하염없이 찾아와 더는 글만이 아니게 된다.

세상 모두가 가을이라는데 나는 가을이 가을 같지 않아서.
글이 글 같지 않고 시가 시 같지 않아서.
적힌 글은 아직 여름에 있는데, 그래서 적는 몇 문장.
계절 모르던 내가 가을을 부르는 가장 빠른 방법.

글들아,
오늘이라는 이름을 달고 기억해 주세요

나도 어둠으로 사라지고
기억할 사람 모두가 과거로 덮어진다 하더라도
우리 사랑했던 시간과
우리 태워 냈던 열정과
우리 보냈던 추억만큼은
오늘이라는 이름으로
밤하늘에 걸어 두고 기억해 주세요

어둠이 다가오더라도
우리 보냈던 시간만큼은
청춘이라는 단어와 함께
오늘이라는 이름으로 기억해 주세요

모두가 어둠으로 사라지고
과거라는 이름이
우리를 덮어 오는 시간에도

담이에게,
네 글자는 나만의 단어였으면 싶어요

담이,
다가오는 계절과
지나간 계절 모두가 가리키는 한 사람.

단어나 문장에 소유권이 어디 있겠냐마는
담이에게, 네 글자는
계절 지나고 해가 지나도
영원히 나만의 단어였으면 싶어요.

마음과 사랑에 주인이 어디 있겠냐마는
담이에게 보내는 마음은
순수하게 우리에게만 속할 마음이었으면 싶어요.

담이에게, 네 글자만은
영원히 이 순간을 담을 책갈피였으면 싶고,

담이에게 전하는 모든 글자는
영원히 나만의 글자였으면 싶어요.

이런 고민만
가득한 바다야

담이, 보고 싶은 담이.

바닷가를 걷다가,
무엇보다 투명하여 다 보여 주는 것만 같던 바다도
결국은 여러 모습이 있다는 사실을 깨닫는다.

나는 네 모든 면을 알고 있을까?
누구보다 너를 잘 안다 생각하면서
네 단면만 보고 너를 사랑하는 건 아닐까?
그렇지만 너는 누구보다 나를 잘 알고 있는 것 같지.

질문이 이어지는 와중에 시계가 하늘을 가리킨다.

이런 고민만 가득한 바다야, 담아.
너는 바다보다 맑고 또 깊어서

네 마음일랑 닿을 리 없고
네 모습일랑 보일 리 없겠지.

너에게 닿는 것조차 어려워
멀리 바다까지 와 마음속 조각들을 잡고
네 모습을 찾는 내가 무얼 어찌 알겠나 싶은 게
나의 결론이지만.

우리의 특권이니까
편지하기로 합시다

가을은 우리의 특권이니까,
계절이란 핑계로 사랑할 수 있고
편지할 수 있는 우리만의 특권이니까
편지하기로 합시다.

답장은 단풍으로 받겠다는 추신을 남겨 둘 테니
부담이 아니었으면 해요.
편지하기로만 합시다.
부담 없이 문장을 주고받기로 해요.

읽으면 부서질 단풍 같은 문장들이지만,
마음만은 닿아도 부서지지 않기로.

받으면 곧 겨울이겠지만,
가을 같은 사랑을 했다고.

짧은 새에도 온 세상이 서로의 색이었다고.

추신. 답장은 단풍으로 받겠습니다.

그러니 내 모든 글을
가져가도 좋아

담이, 너를 생각하면 이렇게 마음이 공허하고,
공허하다고 적는 와중에도 사실 사랑이 솟아
요 며칠 얘기하였던 것처럼 글이 마르질 않는다.

텅 비었다가도 온통 차올랐다가 다시 텅 비고,
잠깐 왔다 금세 사라지던 가을처럼 너는 항상 그런 식이었지.

그러니 내 모든 글을 가져가도 좋아.
너를 생각하면 무수히 쏟아지는 글,
확장하면 가을,
확대하면 사랑,
밟고 보면 낙엽 같던 편지들은
얼마든지 언제든지 무료일 테니.

잠깐 왔다 잠깐 머무르고 사라질 그사이에

아쉬움이 남아 좀 더 있다 가고 싶은 마음 생긴다면,
내 모든 글은 계절도 잠시 멈춘 세상이 되어 간다는데.
세상도 되어 줄 수 있는 마음인데.

널 위해 글 몇 줄 주는 것쯤이야 아무것도 아니라
적는 편지 하나.

내가 그대에게 보내는
세 문장 편지

사랑해요, 사랑해요,

사랑해요,

사랑,

말보다 앞서 나오는 감정은 어찌할 도리가 없습니다

사랑하는
A에게

안녕, 나의 A.

길을 걷다 고개를 드니 가을이라서.
그 가을이라는 단어 네 손에 쥐여 주고는
사랑을 넣어 두었다며,
나 없을 때 펴 보라고 주었던 그 단어도
이제는 쓰기에 얼마 남지 않아 편지를 적어.
네가 완연한 가을을 보냈으면 좋겠는데.

모든 글보다 네가 앞서고,
쓰이는 모든 글자가 너를 앞설 수 없으니
어떤 문장을 적어도 네가 앞에 오는 것만 같은 가을이야.

그러니 담이 너는 내 A,
혹은 기억.

또 이렇게 사랑해야 할 글자가 두 개 더 생겨 버린 가을이네.

길을 걸으려다가 글 위를 걷고
하늘을 보려다가 편지를 보는 가을.
가을을 보려다가 담이 너를 마주한 하루.
내 모든 일상의 방향이 너라는 표현을 적어도
그 누구도 부정할 수 없는 문장이 되겠지.

사랑하는 나의 A,
혹은 모든 글의 마무리일 나의 Z.

처음부터 끝까지 온통 네 이름 같은 글을 남기는 가을.

보잘것없는 작가가
사랑을 적어 가는 방식

담아, 쌓아 둔 감정은 가을이야.
이제는 지나고 낡아진 것들.
그럼에도 향기는 코끝에 남아 그것들이 가을이었다고,
그 감정이 사랑이었다고 말해 주는 것만 같지.

너에게도 그 감정이 온전히 전해졌을지.
낙엽처럼 커다란 내 두 손에서
네 작은 두 손에 닿으면서 부서졌을 감정일지.
나에게는 맞지만 너에게는 맞지 않았을,
너무 빠르고 거대했을 사랑일지.

그럼에도 놓치지 않았으면 하는
지나간 모든 단어,
내가 가을이라 했던 것,
너에게 가을이니 놓치지 말고 눈에 담으라 했던 것.

사실 그것들이 내 사랑이라,
보잘것없는 작가가 가을이라 하고 사랑을 적어 가는 방식이라,
네 눈에 담아 주다가 네 마음에 몰래 넣어 두던 낙엽처럼
이 글을 몰래 편지들 사이에 넣어 보낸다.

지나가는
흐려지는 가을이
사랑이라고,
잊지 말자고.
겨울에는 비유 없이 내 사랑을 곧이곧대로 전할 테니
우리 겨울에도 편지하자고.

추신. 이 글은 부스러지지 않았으면 싶어 가장 부드러운 글
뒤에 넣어 둬.

오늘은 내가
너를 기억할게

망각은 축복이라는 문장을 봤는데
매번 꿈은 너무 짧은 추억이고 너무 빠른 망각이라
단어 그대로 꿈이라는 사실을 깨달은 새벽.
추억도 축복도 언제나 짧지.

나는 네가 한낱 꿈으로 축복받기를 원하지 않는다는
문장을 남기고 싶어.
이렇게 적지 않으면 네가 이 세상에 얼마만큼 남을까.
이런 생각을 더해
나는 더욱 열심히 너를 세상에 알려야겠다 싶고.

생은 축복이니, 우리는 언제나 지워져 가는 삶.
또 삶은 축복이니, 우리는 서로를 잃어 가는 삶.

나는 얼마만큼의 너를 잃었고,

얼마만큼 더 너를 잃어야
또 다른 문장을 적어 갈 수 있을까.

그러나 애초에 덧없고,
몇 없는 네 생각은
문장으로라도 적어야
축복을 지우고 네 이름 오래 남겨 두겠지.
너 없이도 하는 네 생각들은
몇 없을 네 파편이라 너를 대변할 수 없지만,
내가 축복을 불행으로 받아들이는 삶을 사는 원동력일 거야.

모두가 망각이 축복이라 해도
나에게 너의 소실은 언제나 불행일 테고,
누구의 말처럼
언제나 축복은 짧고 불행은 길던 것이 삶이니까.

그런 불행 역시 품고 갈 수 있다고 다짐하는 새벽이다, 담아.

담이, 내 삶을 부정하고 네 삶을 넣어 주는 사람.

불행이어도 행복하고,

추억하려 해도 문장뿐이라

나를 작가로 만들어 주는 이름.

사랑한다는 말을 적으면서 오늘은 내가 너를 기억할게.

네 이름 하나를 남겨 갈게.

추신. 네가 나의 한낱 꿈이지 않기를 바라며.

낭만이란 단어가
더 이상 낭만이 아니도록

우리 낭만이란 단어가 더 이상 낭만이 아니도록 합시다.
네가 바라는 사랑과 내가 품어 온 사랑이
같음을 증명하고,
낭만이란 단어가
더 이상 낭만으로만 남지 않도록 편지하기로 해요.

네가 듣던 노래와 내가 듣던 노래에 담긴 감정이
서로 같음을 증명하고,
네가 바라보던 별들과 그 새벽 너에게 보낸 별들이
하나로 일치함을 증명하기로.

내가 담이 너를 어떻게 사랑했고
어떤 낭만이 너와 나 사이를 지나쳤다가,
어떤 노래 사이에 너를 담았고
어떤 별 하나를 너에게 보냈는지.

"담아, 이 노래 네가 좋아했으면 해.

제목도 마음에 들 거야.

너도 내가 좋아하는 걸 좋아해 주려나.

너는 따스한 마음으로 언제든 나를 이해해 주었으니

이번에도 그럴 거야." 하며 편지를 적게 했는지.

"근데 담아, 그 노래 제목도 좋지만 내용도 좋아.

사실 내가 하지 못하는 말들은 이미 노래에 다 적혀 있잖아.

사실 이 편지는 거기에 담지 못한 자잘한 변명만 적어 둔 거야.

사실이란 말을 반복했으니 솔직함을 좀 더 보태면

그 노래 듣는다고 나 하고픈 말 전부를 알 순 없겠지만,

내 마음을 오래 바라봐 주면 좋겠어." 하는 문장을 적어요.

나의 낭만이,

또 우리가 잠시 바랐던 낭만이,

낭만으로만 남지 않고
담이에게 다가갈 청춘이었으면
하는 마음에 남기는 새벽 편지.

짧은 하루에
많은 사랑을 전한다

담이에게.

이제는 편지만 쓰면,
'사랑하는 담이에게'
이 진부한 여덟 글자 없이는
어떤 글이든 끊기는 느낌을 받고
다시 글의 서두로 돌아와 사랑하는,
적고 있는 내 모습을 발견한다.

사랑하는 담이에게.
이 편지는 여기부터 시작이다.

담이, 나의 사랑을 반복하게 하는 사람.
분명 너에게 하고픈 말은 내 새벽을 지울 만큼 가득하고
너에게 전하고픈 말은 내 생을 너로 지울 만큼 가득해.

그럼에도 쓰이는 문장이라곤
첫 문단이 전부이니 내 한계에 아쉬우면서도,
저 문장이라면
전하고픈 사랑 수백, 수천을 반복해 전할 수 있겠네.
그때도 첫 문장은 여전히 사랑하는 담이에게,
적을 테니까 섭섭함을 더는 새벽이야.

사랑하는 담이, 짧은 하루에 많은 사랑을 전해.
글 하나에서도 사랑은 이토록 여러 번이고,
너는 서른 날 중 하루에도 충만하니
남은 달에는 어떤 글을 적고 몇 번의 사랑을 반복할지
떠오르는 기대와 함께 새벽을 내리는 지금.

너만은 사랑으로
귀결되는 내 가을

담아,
사랑 아닌 것들은 너무나 사랑처럼 오고
사랑이었던 것들은 늘 사랑 아닌 척 온다.

담, 담이.
지나고 보면 사랑인 나의 사람.

너는 나에게 지나간 가을이란 이름을 달고 와
어떤 기억 못 할 계절의 이름을 달고 흘러가고는,
역시나 사랑이었던 것들은
사랑이란 이름으로 오지 않는다는 걸
또다시 나의 가슴에 새기는구나.

담이.
몇 번을 적어도 무뎌질 수 없고

아무리 반복해도 반갑기만 한 영원한 내 가을.

너는 매번 가을처럼 왔다
겨울이란 이름으로 사라지지만,
그 무슨 계절이라도
담이 너만은 사랑으로 귀결되는 내 가을이다.

편지를 닫아요,
사랑하는 담

우리 인연은 여름이었고 이제는 시간이 흘러 가을이네요.
가을이 지나도 우리 서로를 잊지 맙시다.
지나가도 다시 오는 계절이라며
그저 하나의 계절로 기억하지 맙시다.

대신 나는 여름 말고 담이, 담이도 여름 대신 나.
올해는 사계절이 아니라 세 계절과 한 사람으로 살아 봅시다.
서로가 서로이기를,
서로의 계절 그 자체일 수 있기를,
서로가 서로의 한 해를 닫기를 바라며.

편지를 닫아요, 사랑하는 담.
지나간 여름과
지나가는 가을,
다가오는 바다 아래서.

겨울,

몇 개의 마음으로
세상에 겨울이 온다

담아, 가을도 벌써 다 졌어.
가을 동안 불렀던 너의 이름이 낙엽이 되어 겨울로 변해 간다.
너는 아직도 가을에 남아 있는 것만 같은 생각에
새로 적지 않고는
이번 겨울엔 어느 문장에도 너를 남기지 못할 것만 같아.
혹은 가을이란 단어로 여전히 글을 적고 있던가.

이 편지 또한 그렇게 사라질 낙엽.
쓰이지 못해 부서지지도 못했던 마음이 여기에 있어, 담아.
때론 어떤 마음은 씀으로 부서지고,
부서짐으로 새롭게 열리곤 했지.
이렇게 몇 개의 마음으로 세상에 겨울이 온다.

담.
이렇게 불렀던 네 이름은 몇 번이어서

몇 개의 잎이 되고 밤이 되었을까?

담아, 나의 담이, 몇 번 부르고 나면
밤은 오고, 잠은 가고, 또 별은 밝아 온다.
글을 적다 보면 잎이 피어나는 시간이 오고,
그사이 별이 네 이름에 닿았다가,
내가 그 별을 보고 네 이름을 지어 주는데.

네 이름은 어디에 걸어 두어도 빛나는구나.
그렇게 피어난 이파리와 떨어진 낙엽들로
담이 너는 이제 겨울이 되어서 나에게 다시 찾아올까.

오늘도 밤은 깊고, 우리를 이루는 뿌리는 깊어.
하나의 편지도 하나의 계절을 부르던 낙엽만 같고,
하나의 마음도 하나의 생을 불러오던 편지만 같은데.

잠이 들려다가

아차, 하고 떠오르는 그대의 얼굴과 그대의 이름

그 두 가지만으로 나의 밤에는 제동이 걸렸습니다

나에겐 꼭 네가
내 한 해 같아서

사랑하는 담이.
올해도 이렇게 끝나 가고 내년을 이웃한 상황에서
올해는 너를 품고 가는 해로 마감하는 연말임을 느껴.
너도 나를 마주한 해로 이번 해의 의미를 마무리한다면,
그 자체로 우리 둘의 한 해가
한 방향으로 끝나 가는 것을 알 수 있을 텐데.

끝나 간다는 표현이 마음에 들지 않을 수 있으니
시작되어 간다는 표현도 할 수 있을 거야.
끝이지만 또 하나의 시작에 서 있구나, 하는 이야기.

이 짧은 인생에서
네가 5프로를 비집고 들어와도 이렇게 크게 뒤틀리는데
네가 내 생의 20프로,
더 나아가 80프로를 차지하게 되는 순간,

내 작은 세상은 몇 번을 무너지고
몇 번을 다시 만들어졌다가
몇 번이나 너를 가리킬까.
너에게 이루 말할 수 없을 것 같아.

오늘은 남은 내 생에 네가 채워질 첫째 날이라는 사실.
지난날을 제외하고 네가 나의 세상이 되어 가는 날 중,
가장 첫날이라는 사실에 의미가 깊어지는 하루다.

우리는 매일 지나간 날 중 제일 사랑한 날을 살아가고,
남은 날 중 제일 깊어질 날을 살아갈 테니까.

한 해의 의미를 찾다가도
네가 내 생에 찾아온 의미를 찾고 있으니
나에겐 꼭 네가 내 한 해 같아서.

담이는 고요함,
담이는 글

담이, 세상은 고요함으로 가라앉고
나는 여기서 뜬눈으로 밤을 지새운다.
이 넓은 세상에서 끝없이 고요한 것을 적으라 하면
나에겐 담이 너뿐.
아무리 말 걸어도 대답하지 않는, 바람 같은 존재.

오늘은 네가 온 세상에 가라앉아 있는 날이야 담아.
모든 소리 없는 부분, 그 고요함마다 네 생각을 한다.

네 생각 깔려 있는 저녁.
글은 적고 싶은데 밤의 고요함에 내 속도 함께 무언.
아무 말도 하지 않고, 또 아무것도 적지 않기로.

가만히 고요함을 응시하다 그 안에서 너를 보았어.
꼭 너를 적으려다 잘못 적은 글자 같지, 사랑하는 달.

아무것도 적지 않겠다는 다짐을 뒤로하고,
오늘 밤 너를 일부 찾았다는 사실을 기록해.
너의 일부가 나의 온 밤이 되었다가,
어둠이 내린 밤, 고요함이 내린 밤에는
빛이 들이닥치고 밤이 새벽이 되고 고요함을 지운다.

우리는 문단이 되었다가
몇 가지 글과 몇 가지 소리로 찾아오곤 한다.

바람이 분다.
고요함이 깨지고 바람이 부는 새벽이야.
네가 불어오는, 네가 깨우는 새벽 적막.

담이는 고요함, 담이는 글.
고요함을 쓸어 내면 글이 있고 네가 있는 새벽녘.

무겁던 가슴에는
숨길 수 없는 그대가 있곤 하였고,
답답한 시간에는
숨길 수 없는 그대 향한 단어가 있곤 하였습니다

나의 마음, 나의 밤, 나의 시간, 나의 무고한 사랑아
모두가 쉬이 들어가지 못하는 착잡한 밤입니다

나의 가슴 전부 그대인 탓에
숨을 곳 없는 단어로 지새우는 밤

한 계절을 마무리하는 것은
언제나 이별처럼 어색합니다

담, 세상은 겨울이야.

안녕, 하던 인사는 속으로.

감정도 전하지 못하고 말도 숨는 것이 당연한 계절이 찾아오네.

보내지 못한 문장은 식지 않은 따스함으로 아직 가을이라며.

첫 문단이 너무 건조해서 펜을 다시 잡아요.

겨울에 반말은 조금 차갑지.

담, 아직 이렇게 따뜻한데 겨울은 아니잖아요.

오은 시인의 문장처럼

나는 미련으로 여전히 가을을 살아 냅니다.

이렇게 미련이 많은데 어떻게 겨울이겠어요.

미련은 언제나 미지근하고,

담이 향한 문장은 애틋함이 반절이었으니,

미지근함과 애틋함의 총합을 살아 내며
지나간 가을에서 나의 안부를 전해요.

전하지 못한 마음은 늘 식지 못하고
전하지 못한 문장이란 단어도 물기가 가득하며,
겨울이라기엔 나를 이루는 문장들은 건조하지 않고
추위에 얼어붙기엔 너무나 미지근하죠.

그래도 이렇게 나의 마지막 가을을 전해요.
아무리 글을 적고 가을이라 칭해도
여전히 창밖은 겨울이고, 우리는 그런 계절에 있어요.
부정하려 해도 날은 춥고,
문장들이 차가워지는 것을 절실히 느끼는 십이월이에요.
마지막 가을, 가을,
아쉬움에 그리운 것은 두 번 부르고,

미련은 이 편지에 가득 묻습니다.

이 편지가
가을이란 이름으로 겨울에 보내는 마지막 인사입니다.
담이, 담이,
이름도 두 번 불러 봐요.
한 계절을 마무리하는 것은 언제나 이별처럼 어색합니다.

놓쳐 버린
메리 크리스마스입니다

담, 놓쳐 버린 메리 크리스마스입니다.

가득히 보낸 하루였나요?

문장에서만큼은 그랬기를 바라는 심정으로 첫 문장을 적습니다.

좋은 크리스마스였나요?

나의 크리스마스는 멀리 광주에서,

혁오의 노래와 김사월의 목소리를 들으며 멈춰 있어요.

담이는 어떤 크리스마스를 보내고 있는지요.

보냈을까, 하기엔 바람은 차갑고

세상은 한기로 가득해 말투마저 유순해지는 저녁이지만

밖은 눈이 오고,

눈이 쌓이는,

하얀 크리스마스입니다.

쉼표로라도 늘어났으면 하는 하루였어요.

오늘도 보고픔은 하얘서 글로 적어야 깨끗하고
마주하면 사라졌다가
만지려 하면 아무것도 남지 않겠죠.
세상은 눈이라 생각하면 하얗기만 한데,
그리움이라 생각하면
담이에게 보여 주기엔 아무것도 남지 않은 것만 같습니다.

오늘도 담이는
세상이 나에게 보여 주기엔
너무 거대하기만 해서
아무것도,
아무도 없는 크리스마스는
열댓 줄의 편지가 되어 가고 있어요.

겨울이 이 허전함의 이유라면
그날로 겨울에 살도록 할게요

가을이 그리움의 근거라면 가을에 살겠습니다.
겨울이 이 허전함의 이유라면 그날로 겨울에 살도록 할게요.

담이가 내 삶의 이유라면
그날로 담이에게만 글을 쓰겠다고 다짐합니다.
이곳은 가을도 있고 겨울도 있고 글도 있는데
담이만 없는 삶입니다.
그립고 허전하기만 한 삶이네요.

짧은 편지의 여백만이 텅 빈 마음을 알려 주고,
글은 담이를 알려 주지 못하는데,
한 번 쉬지를 않으면서
이런 문장들을 적을 수 있다는 사실만으로
가을과 겨울의 사이에서
나는 어쩌면 담이를 살아 내는 게 아닌가 싶습니다.

그리움과 허전함 사이, 무언가를 찾는 삶.

그것이 내 삶이고

그 무언가가 담이라는 생각을 잠시 했어요.

그 삶에서 쌓이는 글 역시

오직 담이에게만 향하는 글일 거란 약속도….

내년에도 올해만큼 사랑하자는 문장으로
편지의 마무리를 장식해요

한 해를 정리하다가 두 글자에서 온통 막힙니다.

담이, 담이.
두 글자 적었는데도
한 해는 가득 차오르고
한 생은 절반쯤 잠기는 것만 같아
행복하고도 벅찬 마지막 무렵입니다.

담이가 가득한 한 해에 감사하면서도
아직 그럴 수 있을 날들이 수십은 남았다는 사실에
혼자서 만족스러운 새벽이에요.

담이.
한 해의 의미를 정리하기도 전에
이름 두 글자로도 내 세상을 정립하는 사람.

의미를 찾을 틈도 없이 이름 하나만 떠오르니
올해는 온통 담이 생각이었던 것 같습니다.

내년에도 올해만큼 사랑하자는 문장으로
편지의 마무리를 장식해요.

12월 30일 분

휴대폰 배터리가 빨간색으로 바뀌면 집에 들어가는 것으로 합시다. 나는 담, 담이 생각하러 산책을 나왔고 지금은 26프로가 남아 있어요. 날이 춥지만은 않은 겨울입니다. 오후 네시 반이고요. 1630. 어제도 가만히 앉아 그대 생각을 했던 공원에 들러, 그네에 앉아, 잠시 담이 생각을 합니다. 내 모습은 매번 거기서 거기예요. 내가 그리는 담이의 모습은 늘 다르지만요. 1632. 조금 전에 샤워를 하다가, 전라 지역 대설 특보를 보았습니다. 담이는 내 안에 있었나요? 아니면 내가 보는 눈 정도는 같이 볼 수 있을까요? 눈 올 때까진 휴대폰이 버텨 주려나 모르겠습니다. 벌써 21프로거든요. 1634. 나는 가만히 앉아 담이 생각을 하는데 저기 저 할아버지는 가만히 앉아 누구를 떠올리실까요. 1636. 확실히 겨울은 겨울이네요. 담이 생각은 떠오르는데 날은 추워지고 해는 빠르게 내려갑니다. 오늘은 해가 눈치가 빠르네요. 밤에 담이 생각 더 잘 떠오르는 건 또 어떻게 알았을까요? 1640. 나온 지 몇 분이라고 벌써

한 통의 편지입니다. 세상은 너무 크고, 담이 생각을 할 수 있는 곳은 너무도 많습니다. 나날이 공백인 시간이라 그대가 채울 수 있는 건 가득인데 아, 눈 하나 오네요. 들어갈 시간입니다. 배터리도 14프로네요. 1642.

12월 31일 분

사랑하는 담이. 오늘은 이불 안에서 편지를 적어요. 나가야
하는데 밖엔 눈이 쌓여 있고 이불 위엔 밤중에 한 생각이 쌓
여 오늘도 하루 시작이 너무나 무겁습니다. 늦은 점심이지만
요. 1254. 누워 종일 담이 생각을 하다 사람들이 보내 준 메시
지를 보고 담과 나, 우리가 되는 과정에 많은 사람이 동행하고
있다는 생각을 해요. 우리는 우리의 생각보다 더 많은 응원을
받아요. 더 열심히 우리가 되어 봅시다. 봄이 되기 전까지요.
1306. 시간은 빠르게 흘러 한 시간을 보냈어요. 쌓였던 그리움
은 치워 내고 하루를 시작하려다 쌓여 갈 그리움을 생각하니
또 하루가 막막합니다. 그래서 그냥 글만 적어요. 이걸로 충분
히 의미 있는 하루겠죠. 그런 마음으로요. 1351. 담이, 결국 종
일 한 것은 무거운 몸에 무거운 마음이 깃들어 누워서 편지 몇
줄 적은 것뿐이에요. 그래도 충분한 것만 같아 만족하는 하루
입니다. 담이에게는 얼마만큼의 내가 들어 있을지. 얼마면
만족스러운 하루일지. 의문만 가진 채 편지를 적어요. 1400.

1월 4일 분

혼네의 노래를 듣는 퇴근길이에요. 신호는 멈춰 있습니다. 밤도 첫 신호등에 멈춰 섰어요. 그리고 빠른 눈치로 알아차렸는지 몰라도 그 밤의 첫 신호가 나에겐 담이, 그대라고 적습니다. 이렇게 많은 생각을 일 분 안에 했어요. 아니면 시간도 눈치로 멈춰 주었을까요. 2040. 신호는 켜지고 글 빼곤 모두가 앞으로 나아가요. 문장은 어딘가에 적힐 뿐인데 글로 받아 적지 못한 마음이 밤을 데리고 앞으로 나아가요. 매일 나를 나아가게 하는 건 글로도 적지 못할 사랑, 그리움, 미련, 보고픔 같은 감정이니까요. 2041. 시간이 지나고 여긴 여전히 밤입니다. 밤도 수많은 신호등에 걸려서요. 글로 받아 적지 못한 마음도 담이 하나에 걸리는 시간. 이곳은 겨울이 한창입니다. 2300. 새벽이라는 단어를 적고 싶어 한 시간 반을 기다려요. 담을 건너도 여긴 여전히 새벽입니다. 날이 바뀌어서 편지의 제목을 바꿔야 하나 고민을 하는데, 마음은 바뀌질 않아 1월 4일의 마음을 담은 편지라고 적어요. 담이, 사랑하는 담이. 이 단어들의 연계처럼 오늘도 내일도 자연스럽게 사랑만 끼었으면 좋겠다며 편지를 닫아요. 0037.

이 말을 남기려고
겨우내 날이 좋았던 걸까

날이 좋지 않으면 겨울,
날이 좋으면 담아, 하고 썼던 날들이 있다.
그러다 보니 네가 가득한 계절이었어.

이 말을 남기려고 겨우내 날이 좋았던 걸까?
한 계절을 넘어 다음 계절이 와도 날은 여전히 좋아.
사계에 너 있으면 언제나 좋지, 하는 계절 모를 작가의 삶.

담아, 오늘도 날은 너무 좋고
날이 좋으면 그걸 이유로도 너를 부르고 싶어서.

누군가 이런 분위기에는 침묵도 필요하다던데
나는 너와 문장으로만 이야기하니
입이 아니라 펜을 닫는,
너무 좋았던 날 중에 보내는 편지.

생은 꼭 나를 지우고 너를 찾다
우리를 발견하는 과정 같아서

바쁘다, 바쁘다 하면서도
바쁜 구석 하나 없이 마음만 분주한 저녁이에요.
거짓말은 서툴러서 종일 고된 하루였어요.
사실 저것도 작은 거짓말이죠,
나는 종일 담이 생각만 했는데.
와중에 이번 편지에는
서로의 이름을 빼고 서사 위주로 적어야겠다고 다짐합니다.

날은 춥고 눈은 보이지 않게 오던 하루였어요.
낮에는 담양에 다녀왔는데
춥던 날도 좋고 볕은 따뜻해 담이 생각을 한 번 했습니다.

사람 없던 담양은 적막하기만 하고,
담이 이야기 없이 적으려는 문장은 가볍기만 한데
담이 없는 글은 적어야 할 이유를 모르겠어요.

문장을 굳이 끌어 나가야 하나 생각이 들어
다시금 우리를 끌어오고,
오래전에 꾸던 꿈 하나를 포기해야 하나 싶은 저녁이에요.

'여행 에세이 작가는 못 하겠다.
바람 쐴 겸 여행을 다녀왔는데
담이 이야기 없이는 아무 글도 못 적겠어.
하루 다녀온 담양에서도 그러는데
평생 살아갈 삶에서는 어떤 글을 적어야 할까.'

이 같은 독백을 남기며 평생 꾼 꿈은 부정을 하고요.

편지에는 나 하나 너 하나 우리 하나입니다.
그러나 나 너 없어지고 우리만 남을 날을 기다려요.
생은 꼭 나를 지우고 너를 찾다 우리를 발견하는 과정 같아서.

이번 봄에는 가능할까요?

꼭 겨울 가면 담이 피는 봄 올 것만 같아요.

곁에 남아 달라는
호소문입니다

내가 좋아하는 것들은 내 곁에 좀 더 머물러 줄 수 없는 걸까요.

나는 쥘 수 있는 게 얼마나 많아져야 할까요.
지금은 모두 가고 홀로 남은 나, 쥐고 있는 건 문장이지만
그대 하나 쥐고 싶어
내 모든 문장을 여기에 내던지는 새벽입니다.

나무라도 되고 싶어요.
나를 지탱하는 것으로 내 주변을 꼭 잡고 싶은 마음.
이 문장 적으면서 나는 또 얼마나 쓸쓸했는지 알까요.
가진 문장을 모두 던져도 답이 이름이 나오지 않는 이유에서요.

겨우 이게 네가 던진 전부야, 하고 지나가도 좋아요.
살다 보니 때로는 모든 걸 던지고 새로 시작하는 계절도,
시간도 필요함을 깨달아요.

그 계기가 담이라는 사실만으로도 이 연은 쓸쓸하질 않네요.

담이, 사랑하는 담이.
마음과 삶을 담아서 적어요.

모든 문장을 던지고 첫 문장을 적어야 한다면,
또 그렇게 새긴 문장이 새로운 삶을 관통해야 한다면,
내 삶의 시작과 끝이 담이여도 좋으니
담의 이름을 먼저 적고, 내 이야기를 적을 때
새 문단에는 그대 이름이 마지막까지 적혀 있으면 좋겠어요, 담.

여전히 나무라도 되고 싶어요.
던져둔 문장을 주우러 다시 편지의 시작으로 돌아갑니다.
쓸쓸했던 문장도
다음 연에 담이 있음을 아니 더 이상 쓸쓸하지 않고요.

나는 언젠가 꼭 담이를 피울 나무가 되고 싶다는
던져둔 문장이 피어나듯,
심어 둔 마음도 시간 지나면
꼭 봄 같은 담이가 피어날 거라는 문장만 남습니다.

긴 문장들을 건너왔네요.
가진 문장은 많고,
나는 그 문장 모두 던지고
다시 줍는 과정을 거쳐 담이를 새기는 새벽입니다.

이번 편지도 모든 문장에 담이가 더해질 때까지 반복하는데,
마지막에 어떤 문장을 적어야 처음으로 돌아가지 않을까요.

이건, 곁에 남아 달라는 호소문입니다.

이런 것도 쌓이면
인연이나 우연이란 이름으로 담이에게 닿을까요

손 글씨로 시를 적었다는
파블로 네루다의 이야기를 읽고 책상에 앉아요.
원래 편지를 적던 책상은 그림을 그린다고 물감이 가득합니다.
어느 날 주었던 편지처럼
난방이 돌아가는 바닥에서 낮은 책상 하나를 펴고 앉아
이 편지를 씁니다.
무슨 내용이 적힐지는 아직 모른다는 매력으로 글을 적어요.

마음도 매번 작은 것들을 쌓다 보면 커져 있었잖아요.
문장들을 쌓다 보면 커지는 마음과 지나가는 밤,
길어지는 편지,
보이는 건 사랑들.

이렇게 예상치도 못한 곳에서 나의 사랑과 마음은 커지고,
보냈던 밤들을 확인하고 남아 있는 건 편지 하나뿐이네요.

그런 마음 하나 남기는 저녁 여섯 시, 편지를 이어 적어요.

마음은 언제나 텅 빈 백지 같다가
담이를 생각하면 글이 생기고,
세상은 언제나 텅 빈 겨울 같다가
담이를 생각하면 언제고 사랑이에요.

이런 일상의 우연도 쌓이면
인연이나 우연이란 이름으로 포장해서
언젠가 담이에게 닿을 수 있을까요.

오늘은 휴대폰이 꺼져도
낭만인 계절

담아, 잘 지냈지.
매일 궁금한 것은 네 안부라
매번 첫 문장에는 안부를 물어.
가끔 생각해 둔 말보다
마음속에 있던 말이 무의식적으로 튀어나오듯.

밖을 걷다 벤치에 앉아 글을 써.
정정해서 글 말고 편지.
이 문장 하나 주고 싶었는데,
편지를 여는 문장은 항상 보여 주던 말이 적혔네.
얼어붙은 손으로 전하는 마음,
마음만은 언제나 녹아 있고.

매번 이 지점이지.
산책만 하면 멈추던 벤치.

집을 나서고부터 여기까지
어떤 글을 쓸까 고민하면
꼭 첫 문장을 건져 내던 곳.

오늘은 이런 문장을 쓴다.

담아, 달이 예뻐.
걷다가 멈추고 글을 써야 할 만큼.

휴대폰이 꺼져 집에서 이어 적는 마지막 문단.
오늘은 휴대폰이 꺼져도 낭만인 계절과
불 꺼져도 생각나는 사람,
두 개를 동시에 담은 편지만 남고.

안전 안내 문자 덕분에
한마디 건넬 수 있는 날

오늘 저녁까지 비, 눈이 내리고
낮은 기온에 살얼음이 생기는 곳이 있겠습니다.
첫 문장부터 무슨 말씀이세요? 하시면
오늘은 아침부터
안전 안내 문자 덕분에 한마디 건넬 수 있는 날이에요,
대답합니다.

오늘 눈 오고 비 온대요.
낮은 기온에 살얼음이 생긴다는데 계신 곳은 따뜻한가요?
이렇게 적고 나니
꼭 다시는 못 볼 곳에 계신 것만 같아 문장을 고쳐요.

오늘 눈 오고 비 온대요.
기온이 낮아 도로가 어니 항상 넘어지지 않게 조심하시고,
감기도 꼭 멀리하시길.

이런 안부를 건네면
조만간 볼 것 같은 기분에
겨울도 얼마 남지 않은 것 같습니다.

언젠가 너를 앉혀 놓곤
네가 나에게
너는 무엇을 위하여 시를 쓰는지
묻는 날이 온다면
나는 다른 무엇도 아니고 누군가도 아니고
오직 너만을 위해 시를 쓴다고 대답을 하려 한다

내 삶,
너를 대입하지 않고는
네가 들어오지 않고는
이리 불안정한 식이기에
이 모든 게 너를 나에게 맞추는 과정이라고

이 모든 세상이 글이라면
그중 너는 한 문장 마침표까지 고운,
아직 다듬어지지 않은 시라고

지금은 너무
불친절한 계절 같아

유튜브에 파도 소리를 검색해서 듣고 누워 있어.
암막 커튼을 내리고 눈만 감으면 이곳은 마냥 바다 같다.
아니지, 눈감지 않아도 어둠인데 꼭 그런 희미한 빛 있잖아.
왜, 꼭 보일 듯 보이지 않던 너 같은 것들.

맞다, 작년 팔월에 적은 글 보니까
그리우면 가는 곳이 바다라며.
오늘은 무엇이 그렇게 그리워서 찾아간 걸까,
무엇이 그렇게 그리워서 온 세상이 바다 같을까.
이런 고민들은 서두에 남겨.
스스로에게 던지는 물음이란 이름으로.

꼭 이럴 때면 담이 네가 나에게로 올 것만 같아.
세상은 나에게로 몰아치는 것만 같은데
나를 막아 주는 담을 세우고 누워 글을 적자니,

이것도 나름 낭만 같지.

봤으면 알겠지만
너 그립다는 내용을 구구절절 적고 있어.
매번 이렇게 적으면 찾아오던 밤이 있었잖아.
작년 여름, 생각이 시가 되고 편지가 되던 나날들.

지금은 너무 불친절한 계절 같아.
너 하나 보내 주기가 이토록 어렵지.

이런 시시콜콜한 이야기도 네 이름만 없으면
시가 되고 계절이 되었다가 한 사람이 돼.
그게 나인지 너인지,
네가 담인지 또 하나의 세상인지
매번 어려워 글 적기가 망설여진다.

그러나 손도 마음도 망설이지만 멈추진 않지.
이런 것도 편지라고 보낸다.

내 방 가득 채운 음악,
입혀진 파도 소리,
꼭 바다 같은 글을 하나 적어 주고 싶었는데
문장을 다 쓰고 나니 이 페이지가 꼭 바다 같고,
너는 개중에서 제일 깊다는 생각에
편지 끝에 남기는 제일 깊은 마음.

보고 싶어.

이렇게 도달할 마음이면 사랑이라 적지 않아도 사랑이겠지.
닿지 못해도 파도만 보고 바다임을 알 듯.

별, 바람, 겨우내 가득한 그리움은
마음 한편에 자리 잡아 그대가 됩니다

모아 놓고 보면 그대인 것들

눈 오는
일월의 광주

눈 내리는 일월.
광주의 밤이 옅어졌어요.
그럼에도 담이는 깊어만 지고
문장 그대로 눈에 잠겨만 가는 저녁.

풍경 하나 보내려 해도
담이 생각만 하면 그게 사랑 같아요.
이렇게 적어 두면 언젠간 볼까 싶어 매 순간을 담는
나는 글을 쓰는 작가가 아니라 사진사 같다는 생각을 합니다.

가로등 아래로는 눈이 깊게 오고,
그 주변을 시작으로 밤은 또 옅어져요.

이와 함께 담이는 깊어만 지고
편지는 길어만 지는데,

이것도 한 단어로 줄이면 사랑이겠죠.
한 글자로 줄이면 더 이상 투명할 수 없으니 눈이고요.

눈 오는 일월의 광주.
이 편지, 적고 보니 너무 많은 것이 담긴 문장 같습니다.

이 문장 주려고
만든 버릇이에요

눈 오는 날이면
패딩 점퍼 걸쳐 입고 산책하는 버릇이 있습니다.

눈 좋아하잖아요.
이 문장 주려고 만든 버릇이에요.

세상은 하얗고, 눈처럼 하얀 담이.
아니다, 세상은 마냥 하얗지 않고 뿌연 것만 같아요.
휴대폰에서 손을 떼어 하늘을 보니 뿌옇게 눈 오는 날입니다.

그 와중에 마음은 선명해 이렇게 글을 적어요.
화면 위에는 눈이 쌓이고,
세상에도 눈이 쌓이고,
내 시선 닿는 모든 곳에 담이가 쌓이네요.
이 말 쓰기 위해 찾아갔던 풍경입니다.

세상이 꼭 이래요.
이렇게 적고 싶어 살아가고
사랑을 주고 싶어 사랑하고,
편한 문장을 주고 싶어 편한 사람이 되고 싶습니다.

눈을 주고 싶어 눈을 보고 왔어요.
겨울을 주고 싶어 세상이 겨울이에요.
따뜻한 글을 적으려고 난방을 틀고,
다정한 글을 보내고 싶어 친절한 사람이 되어 갑니다.
이상한 문장 하나를 자연스레 문장들 사이에
사실인 것처럼 껴 두고,
날은 추우니까 따뜻한 마음은 동봉합니다.

이런 마음을 주고 싶어요.
이런 편지를 주고 싶어요.

주고 싶은 건 너무나 많죠.

문장과 글, 겨울, 다정함, 마음, 편지,

나열하다 보니 결국 담이에게 나를 주고 싶다는 말이에요.

끝나 가는 겨울엔
한 해 마지막 그대라는 눈이 내릴까요

그대 하얀 피부 나에게 닿으면
눈 녹듯 사라질 뜨거운 나날들이겠지만

담에 눈이 쌓인다.
마음엔 담과 눈 모두 쌓이고

눈 온다, 담아.
눈 닿는 곳마다 모두 눈.
눈길 가는 곳마다 모두 눈길.
담이는 매일 담이.

이런 농담에도 사랑을 얹어 적는 지금은,
눈 내리는 오후.
세상은 전부 하얀 겨울이야.

가만히 유리문에 기대어
가진 문장과 보이는 시선은 하늘로,
나는 이걸 어떻게 너에게 옮겨 줄지 고민을 하다가….

담, 담아.
세상은 눈 내리는 오후.

적을 글 하나 없을 줄 알았는데
벌써 쓰고 싶은 말이 생각나고,

담.
눈.

편지를 적다가 한 글자라서 헷갈렸다는 핑계로
담이 내린다, 적고 있는 내 모습을 상상하면
마냥 춥지만은 않은 겨울.

담아,
담에 눈이 쌓인다.
마음엔 담과 눈 모두 쌓이고.

봄,

너와 나를 둘러싼
마음은 봄이에요

눈 스팀 마사지 팩을 뜯어 놓고 눈을 가만히 감으니
담이 생각이 나서 편지를 적으러 옵니다.
이 편지가 그 한 팩보단 가치 있는 문장들이었으면 좋겠네요.
담이의 삶에는 조금 더 따뜻한 문장들이었으면 싶고요.

한 문단 지나도 더 따뜻한 문장을 주고 싶은 고민은 이어져요.
이런 말이면 따뜻하려나, 저런 문장이면 따뜻하려나.
이런 마음을 가지고 있으면
그게 따뜻함이라는 생각으로 글의 중간에도 따뜻함을….
두 번째 연을 적으며 유일하게 이루고 싶은 한 가지는
이 마음을 끝까지 가져가는 것이에요.
따뜻함은 매번 식기가 쉬우니까요.

그래서 많아야 이 연으로 끝날 편지를
세 번째 연까지 이어 끌고 와요.

가장 따뜻한 마음이 외풍을 맞지 않길 바라는 마음에.

따뜻함을 감싸는 것은 역시나 또 따스함.

문장을 감싸는 문장,

담이를 감싸는 나와 나를 감싸 주던 담이.

서로에게 있어 따뜻한 문장이 되어 줍시다.

차가운 세상에서도 서로에게 따뜻한 마음이었으면 해요.

이런 식이라면 첫 번째 문단의 바람도 이루어진 것 같네요.

그 어떤 문장과 단어도

서로가 서로이길 바라는 마음보다 따뜻할 수는 없을 테니까요.

그렇게 다시 보면, 담이를 감싸는 담이와, 나를 감싸던 나.

작은 편지에서조차 이토록 따스함을 받는 걸 보면

꼭 세상과 마음, 둘 중 하나는 봄이 온 것 같고

담이와 나, 둘 중 하나는 이미 봄인 것 같습니다.

담과 나를 둘러싼 마음은 봄이에요.
또 이런 식이면 두 번째 문단의 바람도 이루어진 듯해
편지를 여기서 마무리해요.

네 이름 머무르는 게
나의 청춘이라면

담이. 담이. 담이.
도입에 몇 번 네 이름을 썼다 지웠고
수십의 네 이름이 내 입 안에 머물렀다가
밖으로 내뱉어진 것만 같은데
네 이름은 어디서 왔을까?

갑작스레 내 삶에 찾아와
네 이름 없이는
한 글자도 적지 못하는 사람을 만들어 놓고선
또 모습일랑 보이질 않는 너.
너는 어디서 나타나 어디로 흘러가던
잡을 수 없는 청춘과도 같아서.

목적지도 출발점도 모른다는 사실에
사랑은 오갈 곳 없이 종이 위에만 안착하고.

언제 어디로 갈지 모르는 너를 붙잡는 거라곤
고작 이 편지 위에서 하염없이 네 이름을 부르는 게 다인,
사랑 적으며 너 하나 정확히 알지를 못하던 나의 모습.

네 이름 머무르는 게 나의 청춘이라면
나는 평생 네 젊음의 봄일 텐데.

이곳은 널 위한
하나의 화단

담이.

왜 네 이름만 들으면 옆에 꽃을 적고 싶을까.

루드베키아, 리시안셔스, 프리지어, 데이지,

모두 색채가 짙은 단어라

너를 가리고 각자를 뽐내는 단어들 같지.

그렇지만 또 목련, 동백, 수국, 장미를 이어 적어

글 안에도 너만을 위한 화단을 만들고 싶은 마음을 전해, 담아.

결이 다른 단어들을

너를 위해 배치하고, 정리하고, 또 다듬으면

나는 꼭 너만을 위한 정원사가 된 것 같아.

이 글이 하나의 꽃 같다가

좋은 단어들을 보내 주고 싶은 이 마음이

꽃이라면,

그 자체로 향기롭겠다 생각을 하곤 해.

담아, 이곳은 널 위한 하나의 화단.
사실 내 마음이
널 위해 가장 오래 피어 있을 꽃이라는 건
잊지 않아 줬으면 하고.

우리 오늘은
서로를 덮어 주는 이불이 되자

사랑하는 담이.
글의 서두를 덮는 익숙한 두 단어를 적으면
밤은 물러가고 새벽은 밝아지며
떠오르는 네 잔상만으로도 시간은 빠르게 흘러.

오늘은 너를 덮고 가는 거야, 사랑하는 담이.
우리 오늘은 서로를 덮어 주는 이불이 되자.
서로를 덮으려고 쓰던 문장처럼,
한 곳도 빠짐없이 덮어 주려고
끝없이 늘리던 문장이 되어 주자.

담, 그런 연유로 네 이름을 적어.
오늘도 달은 차오르고,
그 밤을 덮기엔 네 이름만 한 것이 없다면
시간은 나를 지나쳐 어느새 아침이겠지.

두 글자 적는 것에도 하나의 밤이 걸리고,
두 글자 마주하는 것에도 하나의 청춘이 걸리니
네가 내 생이야, 담아.

너를 덮고, 나를 덮다 하나임을 깨닫고
언제든 우리가 각자일 밤에
서로를 덮을 편지 하나를 남겨 두고 내일로 넘어가.

우리를 가까워지게
하는 것은 마음이겠죠

사랑하는 담이.

문장 서너 줄을 적고 잠이 든 다음 날 아침이에요.

커다란 마음은 뒤따르기도 힘들지만,

앞에서 이끌어 나가는 건 더 힘들죠.

그럼에도 그 네 문장의 앞으로 와서 글을 이어요.

나는 끌려가는 문장보단

앞서가는 문장이 좀 더 풋사랑 같아서 차라리 좋아요.

잘 잤나요?

한 문장 안부를 물을 때마다

우리 사이의 간극이 좁아져 가는 것을 느낍니다.

언젠가 그랬죠,

둘 사이의 거리는 주고받은 문장만큼 가까워진다고.

우리는 어제보다 가까운 거리로,

서로의 문장이 되어 가는 삶을 살아갑니다.

그게 맞다면 오늘 여기서도 안부를 수십 번은 묻고 싶지만.

그러므로 우리를 가까워지게 하는 것은 마음이겠죠,
시간이 아니고.
수많은 마음을 전해요.
복잡한 마음 저 간단한 안부로 포장해서 문장으로,
거기에 얹은 감정으로 수많은 세상을 전해요.

누군가 담이를 이토록 사랑한다는 사실은 무거우니
편지 맨 아래에 넣어요.

사랑, 사랑, 사랑,
조금 비틀어 나랑, 사랑

일어나자마자 글을 적는 주말 아침.
서재로 내려와 공책을 열고 네 생각을 해.
어제 듣다 말았던 맥 밀러의 노래를 켜고.
아니지, 맥 밀러 얘기도 적고 싶었으니까 들었던 거야.
글로 네 이야기를 하고 싶어서
오전부터 네 생각을 시작했던 것처럼.

매번 글을 적으며 좋은 것은
언제든 네 생각을
종이와 펜만 있으면 할 수 있다는 사실과
그 세상은 내가 재단이 가능하다는 것.

그 세상에서 가장 좋은 것을 골라 너에게 줄 수 있고.
그렇다면 사랑, 사랑, 사랑, 조금 비틀어 나랑, 사랑.
이런 메모도.

친애하는 담이, 친애하는 담이,
그냥 한 글자 버리고 단어 조금 풀어서 사랑하는 담이.
이런 인사도.

무얼 적어야 할지
모르겠는 점심에

무얼 적어야 할지 모르겠는 점심. 그럼에도 나를 살아가게 하는 것들은 오늘도 나를 일으켜요. 저번에 말했던 사랑, 그리움 같은 것들. 하루의 시작을 여는 것이 사랑과 그리움이라면 꼭 나쁜 시작 같지도 않습니다.

가만히 침대에서 일어나 의자로 가요. 책장을 보고 앉으면 나도 열심히 적어 담이의 이야기를 저 사이에 끼워 두고 싶어요. 담이의 이야기는 저 중에서도 가장 문학이니까요.

이런 마음이 앞서면 어느덧 나는 하얀 편지지와 펜, 두 개를 잡고 있습니다. 늘 이야기했듯이 담이는 나를 작가로 만드는 사람이니까요.

담이 생각을 하며 펜을 들어요. 종이는 비어 있고 생각은 담이뿐이라 빈 곳이 꼭 담이 같습니다. 제 문장이 채울 곳이요.

그러면서 어떤 문장이든 손 가는 대로 적어요. 보면 나도 모를 문장들이 막 적혀 있는데 또 그게 담이 같고 그럽니다.

담이가 종이였다가 공간이다가 문장이다가 하나의 편지가 되는 시간.

너를 향한 내 마음이
쏟아붓지 못할 펄펄 끓는 마음이었음을

나조차도 담고 있지 못할
다 차오른 밤에 봄이었음을

사람과 삶,
사랑 어딘가에서

잘 지냈나요?

오랜만에 찾아온 편지의 서두부터 대뜸 주고 싶던 것들을 서투른 마음이지만 꺼내 둡니다. 더 늦으면 시들 것만 같아 마음이 급해 꽃, 적다가도 꽃 중에서도 좋아하죠, 장미.

튤립, 안개꽃, 해바라기⋯ 좋아했으면 싶어 모아 둔 단어들. 가슴 한 곳에 모아서 주려 했다가 이런 것은 시들어도 예쁘겠다는 생각에 최대한 싱그러울 때 주고 싶고, 이 같은 마음이 앞서는 건 사랑 덕분이겠죠. 그게 사랑이라면 저 단어 모았을 마음은 또 무엇일까요.

그러니, 잘 지냈나요?

보고픈 마음은 크고, 새벽이란 단어는 가볍기만 해서 곧 날아

갈 것만 같습니다. 새벽 가고 낮 오면 다시 일상일까요, 아니면 여전히 상상일까요. 담이 생각은 매번 일상과 상상 그 어딘가에 있어요. 가진 건 마음뿐인데 좋아할 것 같은 건 꽃이라 가슴속에는 항상 다발로 있는 것은 꽃이고, 요즘 적는 것은 꽃, 꽃, 담, 담, 이런 단어들이죠. 삶과 사람과 사랑은, 줄 수 있는 것과 주고 싶은 것 사이에서 나오는 관계 같은데, 내 삶이고 내 사람이고 내 사랑인 담이에게는 그 무엇을 못 주고 내 마음에 그 어떤 공간을 못 내어 줄까요.

꽃으로 가득한 이월, 일상도 상상도 가득한 것은 담이 줄 꽃 생각이라 손에도 가슴에도 꽃이 가득하네요. 이런 문장 역시 꽃일지, 꽃이라 생각하니 문장들도 피어나는 듯하고 아직 이건 피어나지 않은 하나의 꽃이네요. 지금 피어나고 있으니 창밖을 보고 봄이라고 해도 괜찮을지, 그러다 보면 가슴도 몽실몽실해져요. 몽실몽실이라 적다 보면 무언가 많은 게 피어오르는 새벽 같은데, 아! 이 작은 손아귀에서 봄이 시작합니다.

마음 쏟은 만큼 깨달음 얻고 가는 겨울, 마주하는 봄. 사람과 삶, 사랑 그 어딘가에서.

꽃은 호불호 없이
그저 호 호

꽃

공백이 싫어서 피어난 꽃 한 송이.
이것도 참 문학 같다.
이렇게 적으니
담이 너는 내 삶에 공백이 싫어 피어난 꽃 같아.
담이는 꽃이거나, 꽃 같거나,
꽃 닮은 단어 전부를 안고 가는 단어지.
내 삶의 공백을 못 참고 사람, 하고 피어난 담.

덕분에 보낸 편지들은 전부 시 같아.
네가 좋아하거나, 좋아할 단어들만 고루 모으면
그 자체로도 별말 없이 하나의 시가 되는 것만 같으니까.
꽃은 혼자서도 하나의 시고 하나의 이야기라던데.
피어나는 과정부터 지는 과정까지 사랑만 가득하니까.

그런 이유를 들으니 오늘도 네가 더 꽃에 가까워지는 하루.

담아, 나 꽃 얘기도 너무 많이 해 버린 걸까,
봄에 더 이상 꽃이란 단어를 적지 못하면 어쩌지.
봄이란 계절에는 꽃 이야기 없이는 네 이름 못 적을 것 같은데.

그럼에도 단어 하나에도 네가 피어나는 계절의 시작.
상상력이 좋지는 않지만,
편지를 적다 보면 단어를 따라 많은 것이 피어오르곤 하지.
꼭 그런 문장 하나 적으라는 것처럼.
사랑은 새벽에도 글 따라 피어나고,
마음만 따뜻하면 겨울에도 가슴엔 꽃 하나 피울 수 있으니까.

마음 따라 피어나서 너 피어나는 것도 막을 수 없어.
편지 내내 같은 걱정이네,

걱정이 걱정으로 해결된다면 걱정이 아니지.
그걸 핑계 삼아 다시 걱정을 하면
나 봄에도 이런 편지나 적고 있으면 어쩌지, 담아.

꽃을 보고도
담이 피네.
담이 세상에 가득하구나.
이런 말을 실제로 뱉으면
주변 사람 모두 다 나를 이상하게 쳐다볼 거야.
나의 세상은 실제로도 네가 가득한데,
그런 세상에 꽃까지 피면 나는 정말 어쩌지.
그래도 다작은 할 수 있겠다.
편지라도 많이 쓸 수 있으면 덜 서운하겠어.

아무튼 그러네.

어느덧 저녁을 넘어 밤이고,
겨울을 넘어 봄인데 오늘의 편지는 여기서 줄여.
다가오는 봄에도 네 이야기는 이어져야 하니까.

지금껏 보낸 편지들에서
이 편지가 제일 좋았으면 싶다가
꽃은 호불호 없이 그저 호 호지.
편지의 끝자락엔 꽃 두 송이 심어 둬.

오늘도 모든 문장이 담이다.
아,
꽃이다.

호 호

너무 사랑하면
문장도 나오지 않는다

너무 사랑하면 문장도 나오지 않는다는 것을 깨달은 봄 중순,
내가 너를 사랑하는 만큼 문장을 주어야 한다는 생각이라서.

너는 아무 문장이 될 수 있지만
너에겐 아무 문장이나 줄 수는 없어.
널 생각하면 그 무엇도 사랑이었는데
사랑한다고 그 무엇도 너여선 안 되는 것처럼.

담아, 이제는 편지를 적다가 말문이 막혀.
그럼에도 말문 막는 마음이 무엇인지 알아서 더욱 막을 수 없고.

나는 너를 덜 좋아하는 사람이 되어서
더 좋아하는 사람으로 살아가야지.
너를 덜 사랑하는 사람이 되어서
너를 더 사랑할 수 있는 사람이 되어야겠다.

내가 너를 조금이나마 덜 사랑해야 한 문장 더 적어 줄 수 있고
조금이나마 덜 좋아해야 한 단어 더 나올 수 있다면,
오늘도 너를 덜 사랑함으로 더 사랑할 거란 다짐을 남긴다.
마음만은 적은 만큼 더 깊어 간다는 사실을 부정하면서도.

밤하늘을 보고 네 생각이 났다
빈방을 보고 네 생각이 났다

세상은 이토록 어두우면서도 밝아
이런 나에게 네 생각 없이 잠드는 밤이 있을 수가 없다

왼손으로 쓴 글씨엔
진심과 마음이 많이 담기지

사람은 본인을 빛내 주는 사람을 곁에 둬야 하고,
빛나고 싶게 만드는 사람은 가슴에 품어야 한답니다.
작가는 글을 써지게 하는 사람을 곁에 두고 바라봐야 하고,
글 같은 사람에겐 또 마음이 간다고 하고요.

이 모두가 담이 위해 떠올린 문장이에요.
나에게서 나와,
나의 문장이 아닌 척 담이에게 향하던 말들.

그런 이유로
청춘은 본인을 피어나게 해 주는 사람을 품어야 하지.
이런 문장도 어디서 빌려 온 척 자연스레 전해요.
좋다, 좋네요.
담이도 나도 청춘이고,
이런 말은 또 뱉어야만 의미가 있으니까요.

그래요, 이렇게 몇 마디 문장을 핑계 삼아
서로가 서로를 곁에 두고, 서로를 품고 살아가요.

아무 이유도 없이 찾아오던 봄처럼,
우리도 오늘은 저런 사소한 문장들을 핑계로
살아가고, 사랑하자고.
이미 적은 김에 진심을 하나 더 전하자면,
사실 이미 많이 사랑한다고.

이제는 진심이 닿았을까요.
아니면 아직은 많이 부족할까요.

왼손으로 쓴 글씨엔 진심과 마음이 많이 담기지, 하는
누군가의 말을 조금 빌려
컴퓨터도 왼손으로 누른 타자에 진심이 가득 들어간다면,

담이는 종말 글 같고 멋있어요 꼭 청춘겉다.

이 문장이 어떤 무게로 담이에게 갈지는 아직 미지수예요.
때로는 적당히 무거워서
담이에게 심어진 나무로 자랐으면 좋겠다 싶으면서도,
적당히 가벼워서
그냥 담이에게 흩날려도 좋겠다는 생각을 하네요.

무엇이든 청춘이겠어요.
나무 한 그루여도 좋고,
그저 지나갈 바람이어도 좋으니 담이는 청춘이네요.
나의 청춘이에요.
서로가 서로를 품으니 그제야 청춘이네요.

편지를 쓰다 보니 삼십 분은 훌쩍 지나고,

나의 삼십 분으로 담이의 세 시간이 행복해질 수 있다면
그건 나쁘지 않은 교환 같네요.
내 짧은 청춘으로 담이의 청춘이 길어질 수 있다면,
나는 이마저도 줄 수 있어요.
담이가 받아 줄지는 모르겠지만요.

대답은 무음이죠,
마음은 진동인데

담, 삼월을 멋있게 살아가고 있나요?
봄이라는 계절은 '멋'과는 조금 거리를 둬야 하는 계절인가요?

나는 덕분에 따스한 나날들이에요.
멋, 하고 적으면
조금은 거리감이 느껴지고 마냥 추운 삼월입니다만,
담이에게 보내 줄 말과 마음을 생각하면
나는 그게 너무 멋있는 것 같고
여태껏 추구해 온 삶을 사는 것 같아서 너무 행복합니다.
말 그대로 멋있고 행복한 삶을 살아가고 있어요.

담이는 나 없이 그런 삶을 살아가고 있나요?
언제나 대답은 무음이죠, 마음은 이렇게 울리는 진동이지만요.

오래간만에 편안하게 문장들을 남겨요.

조언은 아니지만 이런 문장들은 앞서가면 안 되고
편안하고 조심스럽게 전해야 해요.

나는 담이가 정말 멋있고 행복한 삶을 살았으면 좋겠습니다.
나처럼요.

그리고 그런 삶을 전하기 위해
일상이 행복해지고 멋있어지는 여러 방법을 나열해 봅니다.

생각만 해도 행복해지는 사람이 있나요?
그렇다면 꼭 가만히 그 사람의 생각을 하는 거예요.
그 사람 생각을 하면서 글을 쓰고,
그 사람을 위한 글을 쓰고,
그 사람의 글을 생각하며 시간을 보내다 보면,
온전히 그 사람으로 가득 차기 때문에 삶이 행복해집니다.

멋있어지는 방법도 똑같아요.
내가 좋아하는, 멋있는 사람을 생각하며 글을 쓸 수 있어요.
또 그 사람을 떠올리면
나도 같이 멋있어지고 싶고,
나도 같이 나아가고 싶고,
그 사람을 더 멋있게, 더 잘되게 해 주고 싶고,
삶을 더 멋있게 살아야겠다는 생각에
나아가고 있는 스스로를 찾을 수 있습니다.

그러네요, 요새 담이 생각이 잦아진 이유를 여기서 찾아요.
담이는 나에게 생각만 해도 행복한 사람,
멋있게 살았으면 싶은 사람,
멋있게 만들어 주고 싶은 사람,
멋있다 싶은 사람.
그런 까닭이겠죠.

목요일 오후 두 시에 누군가의 생각을 하고,
누군가를 위해 글을 적는 것은요.
누군가의 행복을 빌고,
누군가의 멋있는 삶을 바라다가
나조차 그 누구 때문에 멋있고 행복한 삶을 살아가는 것이에요.
이런 문장을 보내고 있는 것처럼요.

이렇게 내 삶의 한 단락을 보내요.
보고 따라 할 수 있을까요.
울리는 마음은 이렇게 전합니다.
생각만 해도 행복해지는,
담이에게 전하는 이야기를 가득 담아서.

꿈에서 너에게
답장이 두 통이나 왔다

담아.
꿈에서 너에게 답장이 두 통이나 왔다.
비록 꿈이었을지 몰라도 나는 너에게 답장을 남겨.
네가 이 글을 읽고 있다면
내일 밤에라도 답장이 오겠지?

밖은 땅을 파는 공사 중이고,
안은 세탁기 굴러가는 소리에 복작거리는데,
네 생각 굴러가는 소리가 너무 커서
내 마음만 홀로 달그락거리는 것 같아.

복잡한 세상,
하루의 시작이라 마음이 너만 찾는다.
좋은 하루 보내고 저녁에 글로 보자.
안녕.

적다 보면, 오늘은 기어코
세상을 적을 것만 같아서

사랑하는 담이.
오늘 너의 하루도 잘 마무리했을까?
종일 책 사이에 묻혀 있다 나오니
하고 싶은 말은 쌓여만 있고,
적어야 할 것 같은 글은
저 밤의 끝까지 밀려만 있다.

하루 끝에 편히 쉬어야 할 텐데
내 글 읽는데 쓰는 시간이 너무 많아질까 괜스레 염려되어,
글의 처음부터 애먼 소리만 하는 내 모습이 답답하고 그래.
아무쪼록 잘 쉬고 있겠지?

위에 말한 대로 편지를 적다 보면,
오늘은 기어코 세상을 적을 것만 같아서
사랑해, 한 단어에 하고 싶은 말 모두 함축해 보낸다.

단어 사이에 숨겨진 뜻을 잘 파악하는 게
참되고 좋은 독자라지?
너는 언제나 나의 좋은 독자였으니
이번에도 잘 이해해 주리라 믿고, 안녕.

꽃은 져도
꽃이지

편지의 첫 문장을 어떻게 열어야 새롭고,
읽히기에 좋을까 생각하며 편지의 첫 문단을 이어 가.
때론 진부하고 고전적인 문장들이 좋을 때가 있고,
우리는 익숙하면서도 편한,
무겁지 않고 가벼우면서도 진심이 담긴 것을
사랑이라 하기로 했으니
역시 첫 문단에서 묻는 것은 네 안부겠지.

담아, 보이지 않는 곳에서도 잘 있니?
나는 항상 네 걱정뿐이고
날은 춥고 바람은 선선한데,
이런 건조함 속에서도 너는 여전히 잘 지내고 있는지….

계절마다 안부를 묻는 사람이 있다는 사실만으로
네 세상은 조금 더 윤택한 세상일까?

물음을 남기는 삼월.

계절마다 안부를 물을 사람이 있다는 사실만으로
나 역시 조금은 살 만한 세상에 있다.

잘 지내지.
잘 지내냐는 말은 몇 번 물어도 모자람이 없고,
몇 번을 받아도 충분하지 않은 것이 떠오르니
봄이라는 계절과 함께 꽃, 한 단어 주고 싶은 마음에
이 문장을 가져와.

꽃은 져도 꽃이지.
글도 시간이 지나도 변함이 없음은 마찬가지고.

글 밖에 있는 마음은 변할 수 있다지만

글에 담아 둔 마음만은 영원할 거야.
이런 영원함을 전해.
이런 마음은 무거워서 어디도 가질 않지.

그 마음 오늘의 편지에 넣어 두었으니
우리는 이 마음을 또 하나의 인연이라 하고,
시간 지나도 변함이 없을 테니
글로 남고 책으로 남고 또 하나의 꽃으로 남겠다.

꽃은 져도 꽃이지. 마음은 져도 꽃이고.

이렇게 또 하나의 편지로 내 이번 봄의 낱장을 기록해 둬.

기억은 시간 지나면 추억, 아니면 망각으로 돌아가니까.
있는 그대로의 내 청춘 한쪽을 몇 문장으로 남길 수 있고,

어느 날 돌아봤을 때,
하나의 꽃으로 져 있다면
그 청춘은 참 좋겠다.
담이도, 나도.

끝에는 담이 이름과 나의 이름도 새겨 두고.

너 하나가 나의 유일한 한 송이니

모든 것은 그저 분홍 점 하나에 불과한 것

사실 너랑 있으면
겨울이어도 좋아

담아, 삶은 때론 너무나 어처구니없어서
눈을 감고 있어야 선명하게 보이는 것이 있고
마음이 온통 흐려야 명확해지는 것이 있는데
담이는 그러한 존재지.

눈을 감고 있고
마음이 온통 흐려도
유일하게 떠오르던 존재.

때로는 어두워야 보이던 빛처럼
눈을 감아야 그제야 선명해지던 사람.

가야 할 곳인 줄 알았는데
사실은 보금자리여서 갈 필요가 없던 사람처럼
길을 잃어 봐야 방향을 알 수 있는.

아니 사실 너랑 있으면 어디도 갈 필요가 없어.
마음이 이토록 흐린 겨울에도
다음에 올 봄, 그 한 가지 사실만으로
너 있는 내일로 나아갈 수 있고,
사실 너랑 있으면 겨울이어도 좋아, 하고 주저앉을 수 있는.

가만히 눈을 감으면
쓰려는 문장은 많고
그럼에도 적지 못할 문장 하나 없이,
전부 너라 해도 어색하지 않은
그런 존재인 거지, 담이는.

이런 마음도 전해,
이런 것마저 사랑이라는 태그를 달고.

이 편지가
포옹이 될 수 있다면

담아,
이 편지가 포옹이 될 수 있다면,
딱 삼 분, 삼 분만 안고 있자.

어떤온기도새어나갈수없도록
단어하나에도띄어쓰기조차허락하지않고
사랑이란단어도문장들사이에꼭넣어서.

이런 부탁도 의무인 계절이 겨울이라면,
아직 늦지 않았지?

어떤 계절을 늦게 보내고 싶은 것은
미련 혹은 아쉬움이라던데.
그런 것 역시 사랑의 한 종류고
그저 미련 때문일지라도,

이런 편지 하나
너에게 남길 수 있는 겨울이
우리에게 있었다면.

이것은, 점 하나에도
불붙는 청춘의 사랑

이것은, 점 하나에도 불붙는 청춘의 사랑.

아주 오래전 문장을 가지고 와.
내 오랜 문장도 주고 싶은 마음은,
현재에도 미래에도 담이가 가득했으면 하는 마음을 넘어서,
내 과거를 꺼내서 담에게 주고,
내 과거에도 담이가 묻어 있었으면 하는 바람이겠지.
그런 바람으로 헤아릴 수 없을 만큼 반점과 온점을 남겨.
작은 점들로 밤을 가득 채울 마음으로.

점 하나에도 불붙는 청춘의 사랑.

보기 좋은 문장은 두어 번 적어 속으로 읽으면
저 문장에도 담이가 셋이나 있구나.
청춘도, 사랑도 담인데 나머지 하나를 찾는다면,

내 밤을 단 하나만으로도 멈추는 작은 반점.
그 작은 점도, 청춘도, 사랑도 담이니까
담이는 어느 문장이든 사라지지 못하는구나.

무수한 문장이 담이가 되는 삶을 보내야겠다는 다짐이
담이는 무수한 문장에 대입이 가능한 사람이라는
깨달음으로 바뀌곤 해.

담이를 찾아가는 삶을 살아야겠다고만 생각했는데,
담이로 바꿔 가는 삶을 살아가겠구나.
살아가다 보면 모든 게 담이로 바뀌겠구나.

때론 삶은 다짐으로 나아가기도 하지만
깨달음으로 나아가기도 하는 법이니까.
오늘을 뒤로하는 깨달음은 저 문장이구나.

담이는 문장 어디에나 있고, 삶은 언제나 담이로 구성되어 있네.

점 하나에도 불붙는 것이 청춘의 사랑이라길래
셀 수 없는 반점을 편지에 남기고
호흡을 방해하는 건 담이, 이런 문장을 적어.

나는 오늘도 담이로 인해 벅차게 사랑하는 하루를 보내는구나.
이런 점 하나로도 내 가슴에 불이 붙고
오늘 밤을 잠시 멈출 수 있다면
담이는 사랑이구나, 청춘의 사랑이구나.

어느 점에 불붙을지 몰라 수많은 점 담긴 편지를 남겨.

엄마의 표현을 빌려
눈송이처럼 꽃 떨어진 봄이에요

엄마의 표현을 빌려 눈송이처럼 꽃 떨어진 봄이에요.
그 꽃들 주워 이런 편지 하나 엮을 수 있다면,
이 편지도 하나의 봄일까 싶어요.
단지 단어 몇 개 엮는다고 봄이 올까요?
마음은 고작 몇 개 엮인 게 아닐 텐데요.

엄마의 설명을 조금 더 가져오면
지금은 매화와, 붉어진 마음 더한 홍매화의 계절이랍니다.
개나리도 조금 더하고,
이젠 떨어지는 동백과 곧 만개할 목련까지 더하면
꽃은 이렇게 많고 엮을 수 있는 단어는 하나의 봄이죠.

봄도 이렇게 오나 봐요.
꽃 몇 송이와 몇 줄 적어 가는 마음 사이에서요.
그중 가장 늦게 피는 것이 봄이라며, 푸르던 마음 더해 청춘.

가는 꽃과 그 사이에 봄이 있어요.
꽃들 오고 가는 틈에서
매화, 동백, 목련 같은 단어를 보다가
이런 편지를 부치면
내 삶은 너무 청춘, 푸르던 봄날.

쌓아 올린 페이지만큼이나 그대를 사랑합니다

나는 그 속에서 내가 살아 있음을 느끼는 걸
내가 그대와 살아왔음을 느끼는 걸
누구도 아니고 그대여서,
그대라서 내가 이렇게 살아 있다고 느끼는 걸

지금까지 그대만큼 무거운 삶의 이유는 발견하지 못했습니다

담이에게

초판 1쇄 인쇄 2022년 5월 4일
초판 1쇄 발행 2022년 5월 16일

지은이   조영훈
펴낸이   김동혁
펴낸곳   강한별 출판사

기획   서가인
책임편집   김주빈
디자인   서승연

출판등록 2019년 8월 19일 제406-2019-000089호
주소 경기도 파주시 탄현면 헤이리마을길 21-7 3층
대표전화 010 -7566 -1768 팩스 031- 8048 - 4817
이메일 wjddud0987@naver.com

ISBN 979-11-92237-04-6